Scholastic Canada Ltd.
604 King Street West, Toronto, Ontario M5V 1E1, Canada

Scholastic Inc.
557 Broadway, New York, NY 10012, USA

Scholastic Australia Pty Limited
PO Box 579, Gosford, NSW 2250, Australia

Scholastic New Zealand Limited
Private Bag 94407, Botany, Manukau 2163, New Zealand

Scholastic Children's Books
Euston House, 24 Eversholt Street, London NW1 1DB, UK

www.scholastic.ca

Library and Archives Canada Cataloguing in Publication
Scholastic children's French-English visual dictionary / translator,
Isabelle Stables.

Includes index.
ISBN 978-1-4431-2442-3

1. Picture dictionaries, French--Juvenile literature. 2. Picture
dictionaries, English--Juvenile literature. 3. French language--
Dictionaries, Juvenile--English. 4. English language--Dictionaries,
Juvenile--French. I. Stables-Lemoine, Isabelle

PC2640.S36 2013   j443'.21   C2012-908079-9E

Catalogage avant publication de Bibliothèque et Archives Canada
Scholastic children's French-English visual dictionary / translator,
Isabelle Stables.

Comprend un index.
ISBN 978-1-4431-2442-3

1. Dictionnaires illustrés pour la jeunesse français. 2. Dictionnaires
illustrés pour la jeunesse anglais. 3. Français (Langue)--Dictionnaires
pour la jeunesse anglais. 4. Anglais (Langue)--Dictionnaires pour la
jeunesse français. I. Stables-Lemoine, Isabelle

PC2640.S36 2013   j443'.21   C2012-908079-9F

The *Oxford Children's French-English Visual Dictionary* was originally published in English in 2013.
This edition is published by arrangement with Oxford University Press.
L'*Oxford Children's French-English Visual Dictionary* a été publié initialement en 2013, au Royaume-Uni.
Cette édition est publiée en accord avec Oxford University Press.

Copyright © Oxford University Press 2013

All artwork by Dynamo Design Ltd.
Original English text created by White-Thomson Ltd.
Translated by Isabelle Stables
Illustrations de Dynamo Design Ltd.
Texte anglais initial de White-Thomson Ltd.
Traduction de Isabelle Stables

6 5 4 3 2 1   Printed in China 147   13 14 15 16 17

Scholastic Children's French-English Visual Dictionary

Scholastic Canada Ltd.

Toronto New York London Auckland Sydney
Mexico City New Delhi Hong Kong Buenos Aires

Table des matières

Contents

Comment utiliser ce dictionnaire

Ce dictionnaire est plein d'informations et de mots utiles. Il t'aidera à en savoir plus sur le monde qui t'entoure et t'apprendra du vocabulaire nouveau dans deux langues différentes.

This dictionary is packed with information and useful words in English and French. It will help you learn more about the world around you, and it will teach you new words in both languages.

Comment est-il structuré? • *How is it organized?*

Ce dictionnaire est divisé en dix chapitres couvrant des thèmes tels que *Les gens et la maison*, *L'école et le travail*, *Les animaux et les plantes*, *La science et la technologie* et bien d'autres encore. Pour chaque thème, il y a des pages traitant de sujets différents, par exemple : « La famille et les amis », « Ton corps », « Les sens et les sentiments ».

This dictionary is divided into ten topics, including *People and homes*, *School and work*, *Animals and plants*, *Science and technology* and much more. Within each topic there are pages on different subjects, such as "Family and friends," "Your body" and "Senses and feelings."

Si un thème t'intéresse, tu peux étudier un chapitre du début à la fin. Mais tu peux aussi feuilleter le dictionnaire au gré de ta fantaisie.

You can find a topic that interests you and work right through it. Or you can dip into the dictionary wherever you want.

Comment trouver le mot que tu cherches?
How do I find a word?

Il y a deux méthodes pour trouver le mot que tu cherches.

There are two ways to search for a word.

Tu peux parcourir la liste des thèmes dans la **table des matières**.

You can look through the topics on the **contents** page.

Chaque thème correspond à une couleur.

Each topic is colour-coded.

How to use this dictionary

Comment utiliser le dictionnaire • *Using the dictionary*

Sur chaque page le vocabulaire est présenté par des images vibrantes et des tableaux ainsi que des schémas légendés. Il est donc facile de trouver les mots que tu cherches et d'en découvrir d'autres en même temps.

On each page words are introduced through lively images, scenes and labelled diagrams. It's easy to find the word you need — and discover many more words along the way.

Les encadrés offrent un vocabulaire plus approfondi.

Feature panels give more in-depth vocabulary.

En marge figure le titre du sujet.

The side bar identifies the subject.

L'introduction dans les deux langues apporte des informations complémentaires sur le sujet.

An introduction in both languages adds extra information on the subject.

Dans la barre supérieure figure le titre du chapitre.

The top bar identifies the topic section.

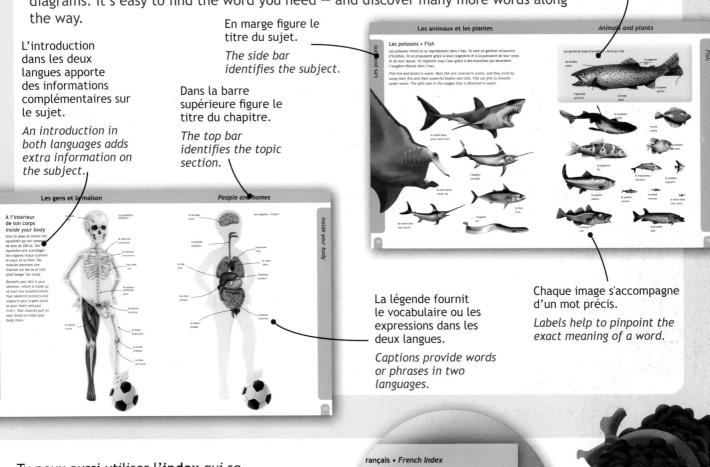

La légende fournit le vocabulaire ou les expressions dans les deux langues.

Captions provide words or phrases in two languages.

Chaque image s'accompagne d'un mot précis.

Labels help to pinpoint the exact meaning of a word.

Tu peux aussi utiliser l'**index** qui se trouve à la fin du livre.

Or you can use the **index** at the back of the book.

Il y a un index français et un index anglais, tu peux donc rechercher un mot dans une langue ou dans l'autre.

There is an English and a French index, so you can find a word in either language.

Quelle que soit la méthode choisie, tu pourras t'amuser à explorer les images et les mots!

However you find your word, you will have fun exploring the pictures and words!

This book is for people learning their first words in French. By looking at the pictures you can learn the words for a whole range of themes.

Most of the words in this book are nouns, but some are verbs and some are adjectives. Nouns are words that give names to things, people or places. For example, *école* (school), *père* (father) and *chemise* (shirt) are all nouns. Verbs are action words; they refer to things we do. For example, *attraper* (catch), *jeter* (throw) and *sauter* (jump) are all verbs.

Most nouns in French are either masculine or feminine. We call this gender, and this is shown in this book by putting the French word for "the" before the noun: *le* (masculine) or *la* (feminine).

When a noun begins with a vowel (*a, e, i, o, u*), and with many that begin with "h", *le* or *la* become *l'* — for example *l'eau* (water), *l'hôtel* (hotel). The index will also show you whether these words are masculine or feminine.

Tip: When you learn a new word, always try to remember whether it is masculine or feminine.

We say that a noun is "plural" when it refers to two or more things. With plural nouns, the word for "the" is *les*: *les chaussures de course* (shoes), *les bonbons* (sweets).

Adjectives are words that describe nouns; for example *grand* (big), *petit* (small). Many adjectives have a different spelling for masculine and feminine: often you just add an extra "e" to make the feminine adjective from the masculine spelling; compare *le chocolat chaud* (hot chocolate) with *la boisson chaude* (hot drink). You can see more examples in the "Senses and feelings" section on pages 16 and 17. On the other hand, many adjectives are the same for masculine and feminine: *le film triste* (the sad film), *la chanson triste* (the sad song).

It's the same with job titles. Some job titles have different spellings depending on whether or not you are talking about a man or a woman: *l'acteur* (actor) and *l'actrice* (actress). But with others only the word for "the" changes: *la vétérinaire* for a female veterinarian and *le vétérinaire* for a male.

Pronunciation
Single letters

c (+a, o, u) — "k": *camion, conducteur, cuillère*

c (+e, i) — "s": *cerise, citron*

g (+ u, o, a) like "g" in "gun": *figue, guitare, pagayer, gourmand*

g (+e, i) — like the second "g" in "garage": *ingénieur, gilet*

h is silent at the beginning of a word. Sometimes the word for "the" is joined to the noun as l': *l'hélicoptère*; but with other words it is separate: *le hockey, la hanche*

j — sounds like the soft "j" sound in "pleasure": *journaliste*

r — sounds like clearing your throat or gargling: *grand, armoire, robe*

u — flatten your tongue as if you're about to say "easy," and then make an "ooh" sound by pursing your lips: *sculpture, public*

Groups of letters

ch — like "sh" in English: *quiche, chef*

eau — "oh": *gâteau*

en — say "on" through your nose: *dent*

eu — "euh": *cheveux*

in — say "an" through your nose: *pinceau*

gn — sounds like "ny": *agneau*

ill — like the sound "ee" in English "tree": *fille, citrouille,*

œ — "eur," like "learn": *sœur*

ou — "ooh": *coude*

oi — "wah": *froid, voiture*

th — the "h" is silent, e.g. *thé* ("tay")

ui — "oo-ee": *cuisine, fruit*

Accents

à — like the "a" in "ha": *à*

ç — "s": *François, garçon*

é — "eh", as in *café*

è, ê — like the English "air": *père*

ô — "oh": *hôtel, hôpital*

Les gens et la maison

La famille et les amis • *Family and friends*

Des familles, il y en a de toutes les sortes et de toutes les tailles. Il y a des enfants qui vivent avec un seul parent ou tuteur; d'autres ont une famille nombreuse. Les grands-parents, les oncles et tantes, les cousins font tous partie intégrante d'une famille.

Families come in many types and sizes. Some children live with just one parent or caregiver. Some have large families, with many relatives. Grandparents, uncles, aunts and cousins are all members of your extended family.

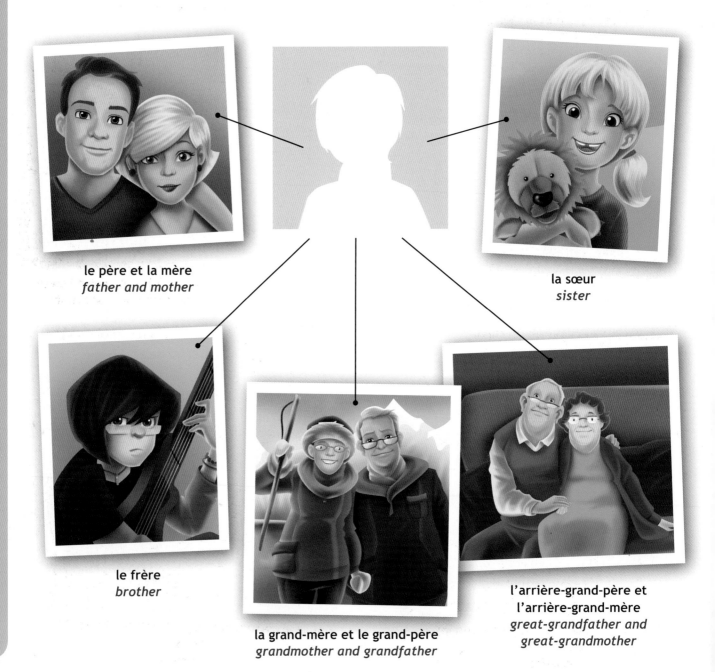

le père et la mère
father and mother

la sœur
sister

le frère
brother

la grand-mère et le grand-père
grandmother and grandfather

l'arrière-grand-père et l'arrière-grand-mère
great-grandfather and great-grandmother

People and homes

le beau-père et la mère,
le père et la belle-mère
*stepfather and mother,
father and stepmother*

l'oncle et la tante
uncle and aunt

la meilleure amie
best friend

le demi-frère et la demi-sœur
stepbrother and stepsister

les cousins
cousins

les amis
friends

Ton corps • *Your body*

Ton corps est comme une machine extrêmement compliquée. Chacune de ses parties travaille en harmornie avec les autres pour te permettre de faire plusieurs choses à la fois. Ton corps travaille tout le temps pour te maintenir en vie!

Your body is like an incredibly complicated machine. All its parts work perfectly together, so you can do many different jobs at once. It is also busy all the time keeping you alive!

Le visage • *Face*

les cheveux
hair

le front
forehead

le sourcil
eyebrow

l'œil
eye

le nez
nose

la bouche
mouth

l'oreille
ear

les joues
cheeks

les dents
teeth

le menton
chin

Le corps • *Body*

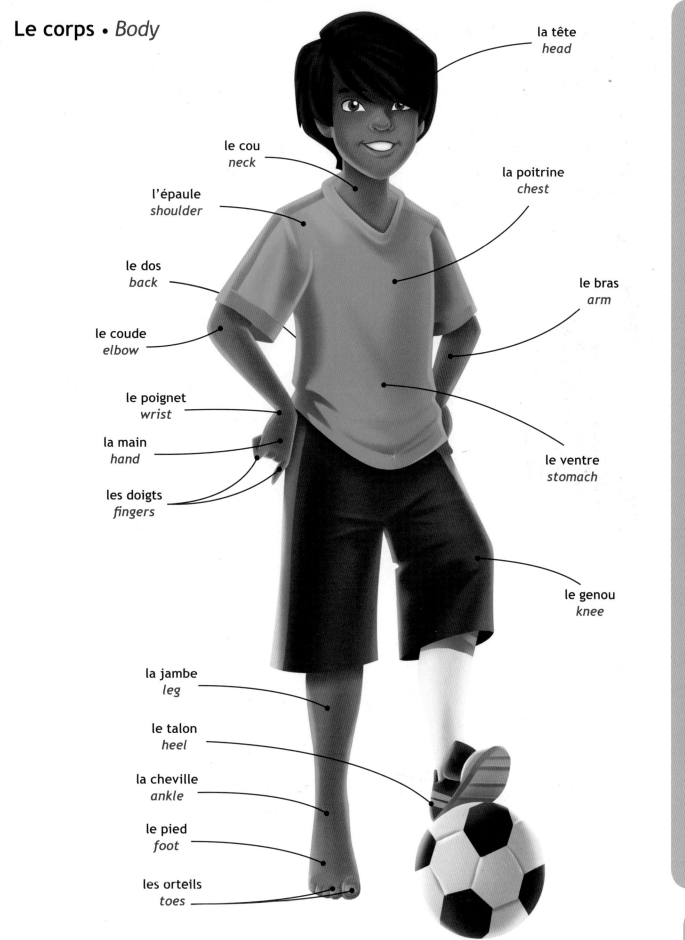

la tête
head

le cou
neck

la poitrine
chest

l'épaule
shoulder

le dos
back

le bras
arm

le coude
elbow

le poignet
wrist

la main
hand

les doigts
fingers

le ventre
stomach

le genou
knee

la jambe
leg

le talon
heel

la cheville
ankle

le pied
foot

les orteils
toes

À l'intérieur de ton corps
Inside your body

Sous ta peau se trouve ton squelette qui est composé de plus de 200 os. Ton squelette sert à protéger tes organes vitaux (comme le cœur et le foie). Tes muscles exercent une traction sur tes os et font ainsi bouger ton corps.

Beneath your skin is your skeleton, which is made up of over two hundred bones. Your skeleton protects and supports your organs (such as your heart and your liver). Your muscles pull on your bones to make your body move.

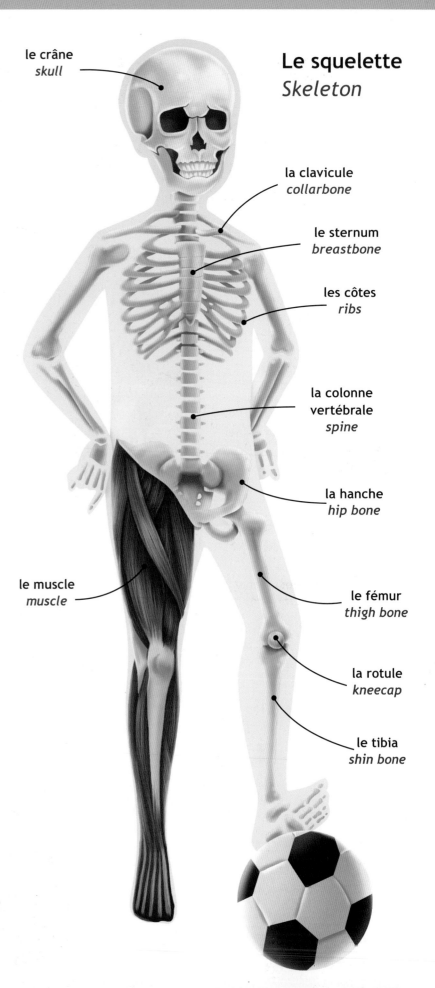

le crâne
skull

Le squelette
Skeleton

la clavicule
collarbone

le sternum
breastbone

les côtes
ribs

la colonne vertébrale
spine

la hanche
hip bone

le muscle
muscle

le fémur
thigh bone

la rotule
kneecap

le tibia
shin bone

Les organes • *Organs*

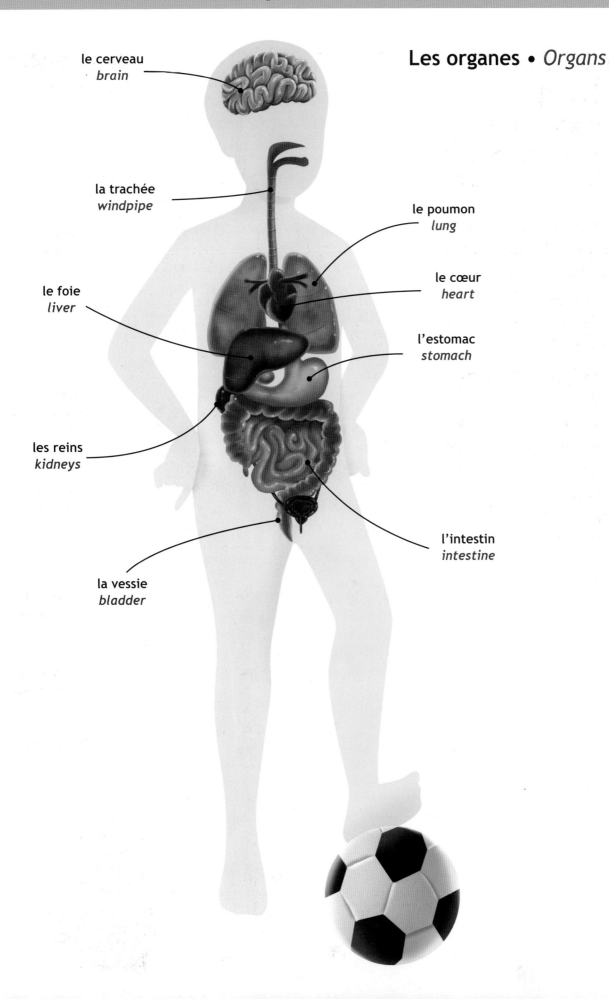

le cerveau
brain

la trachée
windpipe

le poumon
lung

le cœur
heart

le foie
liver

l'estomac
stomach

les reins
kidneys

l'intestin
intestine

la vessie
bladder

15

Les sens et les sentiments • *Senses and feelings*

Nos sens relient notre corps au monde. Ils transmettent au cerveau des messages sur ce que l'on voit, entend, sent, goûte et touche. Les expressions de notre visage communiquent aux autres nos sentiments et nos émotions.

Our senses link our bodies to the outside world. They carry signals to our brains about everything we see, hear, smell, taste and touch. We use our faces to send signals to other people about how we are feeling.

Le toucher • Touch
- doux, douce soft
- mouillé, mouillée wet
- pointu, pointue sharp
- chaud, chaude hot
- froid, froide cold

L'odorat • Smell
- mauvais, mauvaise nasty
- bon, bonne nice

Le goût • Taste
- sucré, sucrée sweet
- aigre, acide sour
- salé, salée salty

La vue • Sight
- lumineux, lumineuse bright
- coloré, colorée colourful

L'ouïe • Hearing
- silencieux, silencieuse quiet
- bruyant, bruyante loud

heureux, heureuse
happy

triste
sad

J'ai peur
I'm scared

Je suis en colère
I'm angry

fier, fière
proud

enthousiaste
excited

étonné, étonnée
surprised

espiègle
mischievous

farfelu, farfelue
silly

Je ris
I'm laughing

Je ne comprends pas
I'm confused

Je m'ennuie
I'm bored

La maison • *Home*

Nous habitons dans toutes sortes de logements, du minuscule studio à l'imposant château. Mais quels qu'ils soient, on peut, en général, y préparer les repas, faire la lessive, dormir et s'y détendre.

Homes come in all shapes and sizes, and range from single rooms to massive mansions. Most have areas for cooking, washing, sleeping and relaxing.

Le logement dans le monde
Homes around the world

la yourte
yurt

le tipi
teepee

l'igloo
igloo

la rotonde
roundhouse

la chaumière
cottage

la maison sur pilotis
stilt house

le chalet de montagne
chalet

People and homes

1 la cheminée *chimney*

2 la fenêtre *window*

3 la porte *door*

4 le toit *roof*

5 la cuisine *kitchen*

6 la salle de bains *bathroom*

7 le salon *living room*

8 la chambre *bedroom*

9 le garage *garage*

10 la baignoire *bathtub*

11 les toilettes *toilet*

12 la douche *shower*

13 la chaise *chair*

14 la table *table*

15 le lit *bed*

16 la télévision *television*

17 l'évier *sink*

18 le four *oven*

Les objets de la maison • *Household objects*

Nos maisons sont remplies d'ustensiles, d'appareils électroménagers et d'autres objets que nous utilisons tous les jours pour cuisiner ou pour nous laver.

Our homes are full of useful household tools and materials. We use these household objects every day to cook our food and to keep ourselves clean.

Dans la cuisine • *In the kitchen*

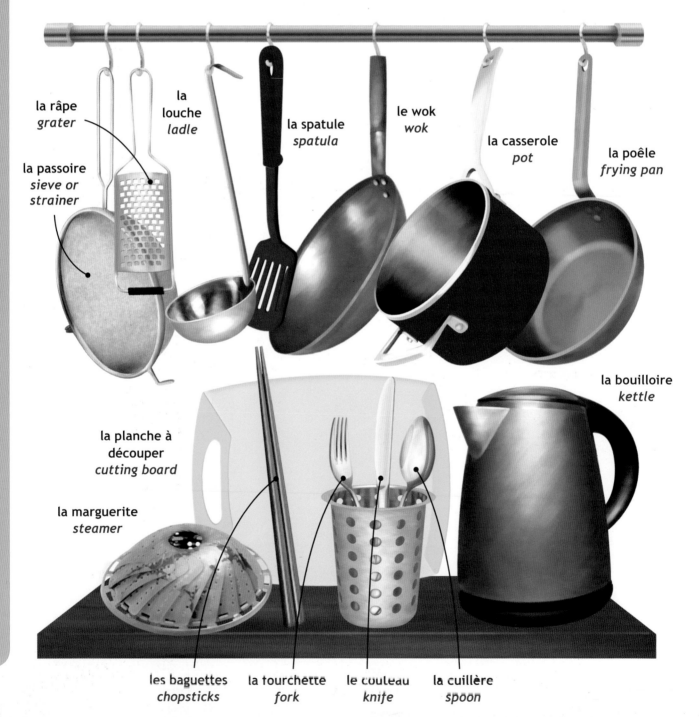

la râpe
grater

la passoire
sieve or strainer

la louche
ladle

la spatule
spatula

le wok
wok

la casserole
pot

la poêle
frying pan

la bouilloire
kettle

la planche à découper
cutting board

la marguerite
steamer

les baguettes
chopsticks

la tourchette
fork

le couteau
knife

la cuillère
spoon

Dans la salle de bains • *In the bathroom*

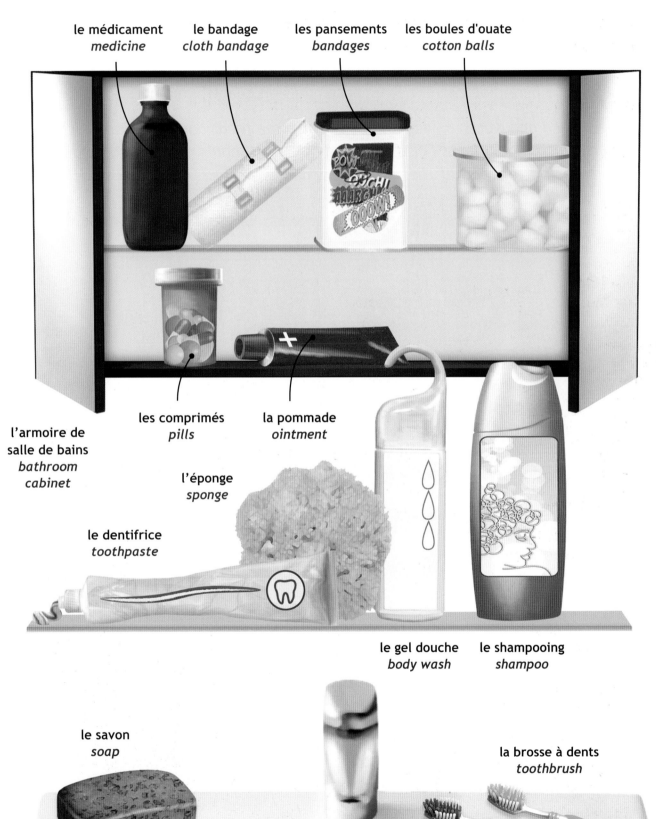

le médicament
medicine

le bandage
cloth bandage

les pansements
bandages

les boules d'ouate
cotton balls

les comprimés
pills

la pommade
ointment

l'armoire de salle de bains
bathroom cabinet

l'éponge
sponge

le dentifrice
toothpaste

le gel douche
body wash

le shampooing
shampoo

le savon
soap

la brosse à dents
toothbrush

L'alimentation • *Food and drink*

Pour vivre, nous avons besoin de boire et de manger, mais certains aliments sont meilleurs pour la santé que d'autres. Une alimentation équilibrée comprend plus d'aliments qui se trouvent dans la moitié inférieure de la pyramide. Ceux du haut de la pyramide doivent être consommés en quantité moindre.

We need food and water to keep us alive, but some foods and drinks are better for our health than others. For a balanced diet, you should eat more of the foods in the bottom half of the pyramid opposite, and less of the foods at the top.

Les boissons • *Drinks*

le thé vert
green tea

le chocolat chaud
hot chocolate

le jus de fruits
juice

le café
coffee

la boisson gazeuse
pop, soda

l'eau
water

le thé
tea

le lait
milk

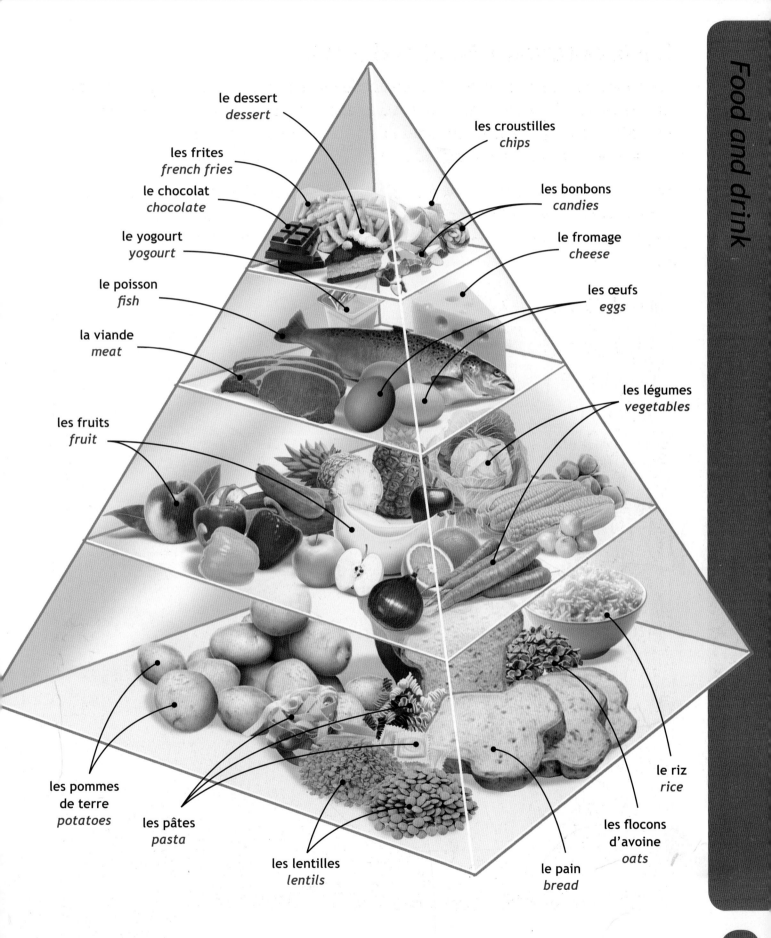

le dessert
dessert

les frites
french fries

le chocolat
chocolate

le yogourt
yogourt

le poisson
fish

la viande
meat

les fruits
fruit

les croustilles
chips

les bonbons
candies

le fromage
cheese

les œufs
eggs

les légumes
vegetables

les pommes
de terre
potatoes

les pâtes
pasta

les lentilles
lentils

le pain
bread

le riz
rice

les flocons
d'avoine
oats

Des aliments de toutes sortes

Des aliments de toutes sortes • *Types of food*

Nous mangeons habituellement trois repas par jour : le déjeuner, le dîner et le souper. Parfois nous avons aussi quelque chose de spécial : un dessert!

We usually eat three meals a day: breakfast, lunch and dinner. Sometimes, we get to have a special treat — dessert!

LE MENU
MENU

le sandwich
sandwich

le sandwich roulé
wrap

le hamburger
hamburger

la soupe   le petit pain
soup   *roll*

la pizza
pizza

LE MENU
MENU

le bifteck
steak

la paella
paella

l'agneau
lamb

le curry
curry

les boulettes
de viande
meatballs

le poulet
chicken

24

Des plats étranges et exotiques • *Strange and wonderful foods*

les cuisses de grenouilles
frogs' legs

la soupe aux orties
stinging nettle soup

la friture de tarentules
fried tarantulas

LE MENU
MENU

la salade
salad

les tapas
tapas

le tofu
tofu

les spaghettis
spaghetti

l'omelette
omelette

LES DESSERTS
DESSERTS

la crème glacée
ice cream

la salade de fruits
fruit salad

les petits gâteaux
cupcakes

les crêpes
crepes

le gâteau
cake

Les fruits et les légumes • *Fruits and vegetables*

Les fruits et les légumes proviennent des plantes. La partie de la plante qui contient des graines, des pépins ou un noyau est un fruit. Les légumes peuvent être les racines, les feuilles ou les branches de la plante.

Fruits and vegetables are parts of plants. A fruit is the part of a plant that contains its seeds, pips or stone. Vegetables are the roots, leaves or stems of a plant.

les fraises
strawberries

un oignon
onion

les poivrons
peppers

les avocats
avocados

les petits pois
peas

les tomates
tomatoes

les carottes
carrots

les pêches
peaches

les figues
figs

les citrons
lemons

les citrouilles
pumpkins

À l'intérieur de la pomme

Inside an apple

les pépins
seeds

la queue
stem

la peau
skin

la chair
flesh

les oranges
oranges

les cerises
cherries

le concombre
cucumber

les pommes de terre
potatoes

les bananes
bananas

le maïs
corn

le chou
cabbage

le melon d'eau
watermelon

les haricots verts
green beans

les poires
pears

Les vêtements de tous les jours • *Everyday clothes*

Les vêtements servent à nous protéger du froid et de la pluie. Ils nous permettent aussi de ne pas nous salir. De plus, ils nous donnent belle allure!

Clothes protect your body and help to keep you clean, warm and dry.
They can make you look good, too!

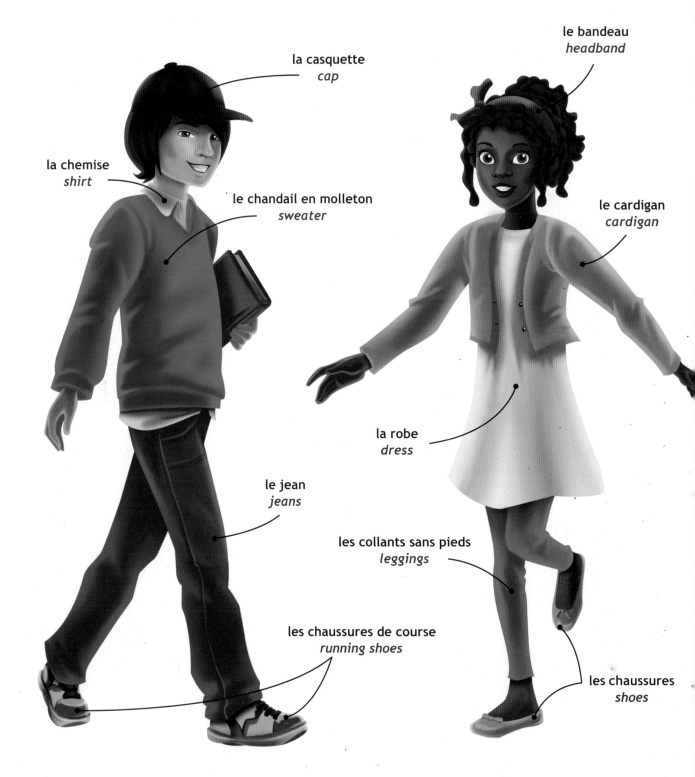

le bandeau
headband

la casquette
cap

la chemise
shirt

le chandail en molleton
sweater

le cardigan
cardigan

la robe
dress

le jean
jeans

les collants sans pieds
leggings

les chaussures de course
running shoes

les chaussures
shoes

la tuque
hat

le foulard
scarf

les mitaines
mittens

le tee-shirt
T-shirt

la veste de survêtement
track-suit jacket

la veste
jacket

le short
shorts

les collants
tights

la jupe
skirt

les chaussettes
socks

les bottes
boots

les chaussures
de soccer
soccer cleats

Des vêtements de toutes sortes

Des vêtements de toutes sortes • *Types of clothes*

Sur cette page figurent des costumes de la Rome antique, d'Europe et du Japon. La page ci-contre montre des exemples de vêtements portés dans différents pays.

On this page you can see some historical costumes from ancient Rome, Europe and Japan. The opposite page includes some examples of clothes from different countries.

l'impératrice japonaise
Japanese empress

l'éventail
fan

le kimono
kimono

la reine médiévale
medieval queen

la couronne
crown

la cape
cloak

le chevalier médiéval
medieval knight

le plastron
breastplate

l'armure
suit of armour

le Romain antique
ancient Roman

la toge
toga

les sandales
sandals

le guerrier samouraï japonais
Japanese samurai warrior

le casque
helmet

le gantelet
gauntlet

la veste
jacket

le kilt
kilt

le chemisier
blouse

le tablier
apron

les sabots
clogs

le sari
sari

la cravate
tie

le costume
suit

le turban
turban

le haut-
de-forme
top hat

le gilet
waistcoat

le voile
veil

la robe de
mariée
*wedding
dress*

À l'école • *At school*

Partout dans le monde, beaucoup d'enfants vont à l'école. Ils y acquièrent des habiletés très importantes comme lire, écrire et compter. Ils y étudient divers sujets et cela les aide à comprendre le monde qui les entoure.

Many children around the world go to school. They learn and practise some very important skills, like reading, writing and math. They also study a range of subjects that help them understand the world around them.

l'horloge
clock

l'horaire
timetable

l'affiche
wall chart

School and work

Les cours • *Lessons*

anglais – English
histoire – History
géographie – Geography
éducation physique – Physical education
sciences – Science
mathématiques – Math
musique – Music
arts plastiques – Art

les devoirs – homework
le travail – schoolwork
le dossier – project
l'examen – test

le tableau blanc
whiteboard

❶
le bureau
desk

❷
la calculatrice
calculator

❸
le cahier d'exercices
exercise book

❹
le manuel
textbook

❺
le classeur
binder

❻
le bloc-notes
notepad

❼
la règle
ruler

❽
le globe terrestre
globe

❾
l'agrafeuse
stapler

❿
le stylo
pen

⓫
le crayon
pencil

⓬
la gomme
eraser

Les métiers • *Jobs and careers*

Il existe tant de métiers différents! Quel genre de métier aimerais-tu faire plus tard? Peut-être serais-tu intéressé(e) par un métier dans l'informatique? Ou préférerais-tu travailler avec les animaux? Pense à tous les métiers que tu pourrais faire.

There are so many different types of work. What kind of work do you want to do? You may be interested in working with computers. Or would you like to work with animals? Think of all the jobs you could try.

l'ingénieure, l'ingénieur
engineer

l'architecte
architect

**la vétérinaire,
le vétérinaire**
veterinarian

**la conductrice d'autobus,
le conducteur d'autobus**
bus driver

le chef cuisinier,
la chef cuisinière
chef

l'avocat,
l'avocate
lawyer

l'infirmier,
l'infirmière
nurse

le reporter
reporter

l'agent de police,
l'agente de police
police officer

l'enseignant,
l'enseignante
teacher

Les vêtements et le matériel de travail

Certains métiers nécessitent du matériel et des vêtements spéciaux. Les maçons, les plongeurs et les pompiers portent des vêtements indispensables à leur sécurité. Les chirurgiens, eux, utilisent des vêtements faits avec du tissu antimicrobien.

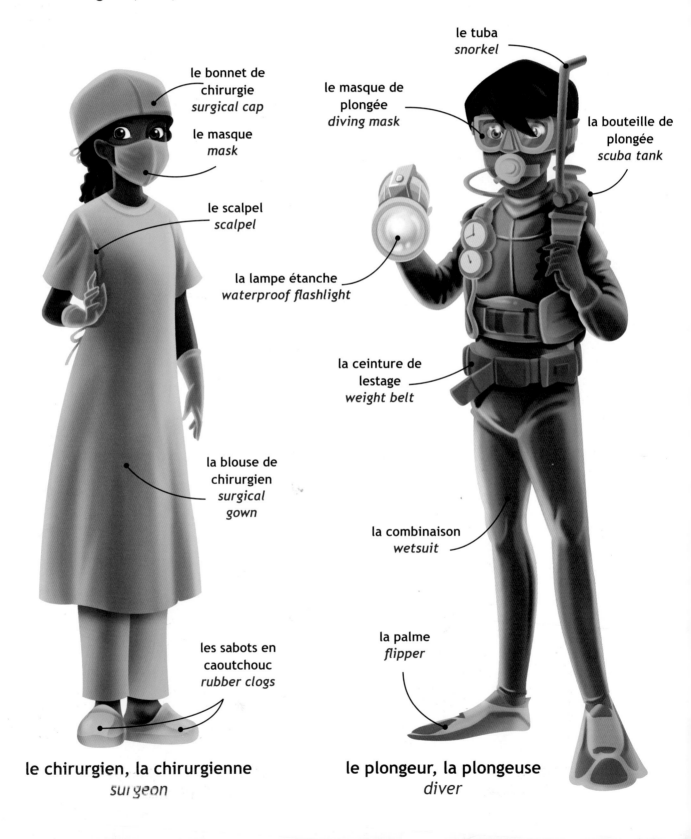

le bonnet de chirurgie
surgical cap

le masque
mask

le scalpel
scalpel

la blouse de chirurgien
surgical gown

les sabots en caoutchouc
rubber clogs

le chirurgien, la chirurgienne
surgeon

le tuba
snorkel

le masque de plongée
diving mask

la bouteille de plongée
scuba tank

la lampe étanche
waterproof flashlight

la ceinture de lestage
weight belt

la combinaison
wetsuit

la palme
flipper

le plongeur, la plongeuse
diver

Work equipment and clothing

Some people need special equipment and clothing to do their jobs. Builders, divers and firefighters need clothes that keep them safe. Surgeons wear clothing that helps to keep germs from spreading.

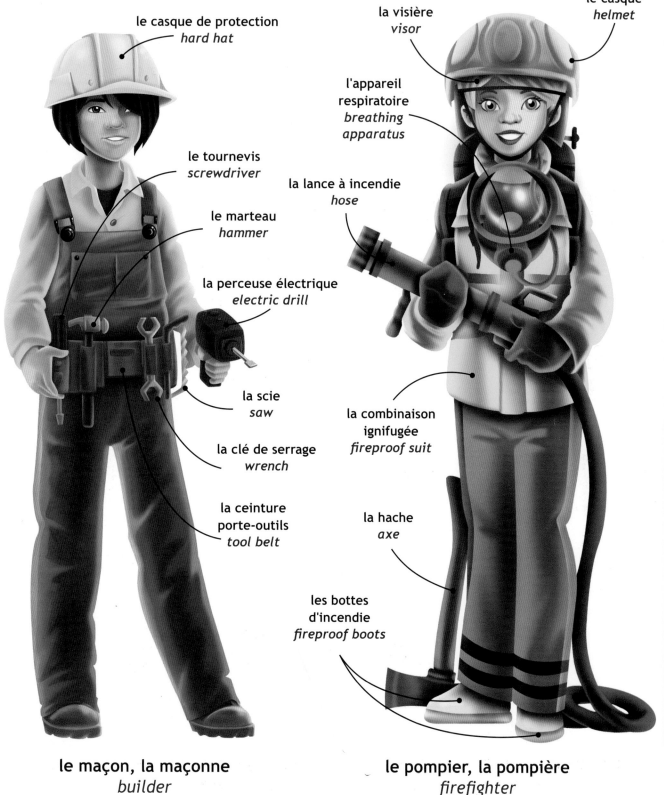

le casque de protection
hard hat

le tournevis
screwdriver

le marteau
hammer

la perceuse électrique
electric drill

la scie
saw

la clé de serrage
wrench

la ceinture porte-outils
tool belt

la visière
visor

le casque
helmet

l'appareil respiratoire
breathing apparatus

la lance à incendie
hose

la combinaison ignifugée
fireproof suit

la hache
axe

les bottes d'incendie
fireproof boots

le maçon, la maçonne
builder

le pompier, la pompière
firefighter

Les sports • *Sports*

Il est important de faire du sport pour rester en forme. De plus, c'est amusant. Partout dans le monde, les athlètes professionnels s'entraînent avec acharnement pour participer aux grandes compétitions mondiales telles que les Jeux Olympiques d'été et d'hiver.

Sports are important. They keep us fit and they're fun. Professional athletes all over the world train hard to compete in top competitions, such as the Olympics. There are two Olympics — one in summer and one in winter.

le soccer
soccer

le tennis
tennis

le baseball
baseball

le rugby
rugby

la gymnastique
gymnastics

le volley-ball
volleyball

le tir à l'arc
archery

le cyclisme
cycling

l'athlétisme
athletics

Le soccer • *Soccer*

l'arbitre • *referee*

arrêter • *save*

marquer un but • *score*

le but • *goal*

le coup de pied de réparation • *penalty kick*

le coup franc • *free kick*

le défenseur • *defender*

le gardien de but • *goalkeeper*

le buteur • *striker*

le basketball
basketball

le judo
judo

le cricket
cricket

le golf
golf

la natation
swimming

le hockey sur glace
hockey

Le sport en action • *Sports in action*

Quand on fait du sport, on bouge! Dans de nombreux sports il faut courir, mais il existe aussi bien d'autres activités.

Taking part in any kind of sport means a lot of action! Running is part of many sports, but there are many other activities, too.

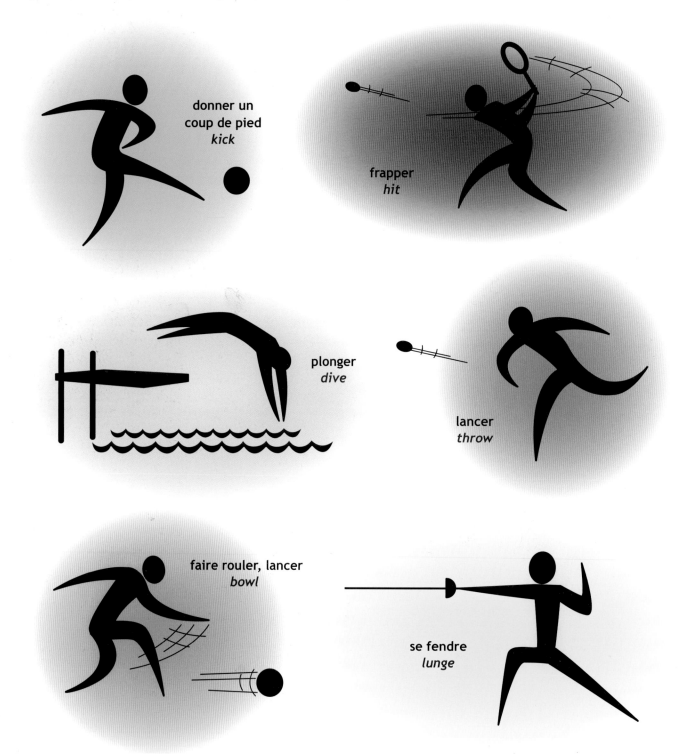

donner un
coup de pied
kick

frapper
hit

plonger
dive

lancer
throw

faire rouler, lancer
bowl

se fendre
lunge

attraper
catch

tirer
shoot

sauter
jump

skier
ski

patiner
skate

monter à cheval
ride

pagayer
paddle

Les jeux et les loisirs
Games and leisure

Les gens partout dans le monde jouent à des jeux depuis des siècles. Échecs, cerfs-volants et yoyos ont une très longue histoire. Les jeux électroniques sont une invention récente.

People all over the world have been playing games for centuries. Chessboards, kites and yo-yos have a very long history. Electronic games are a recent invention.

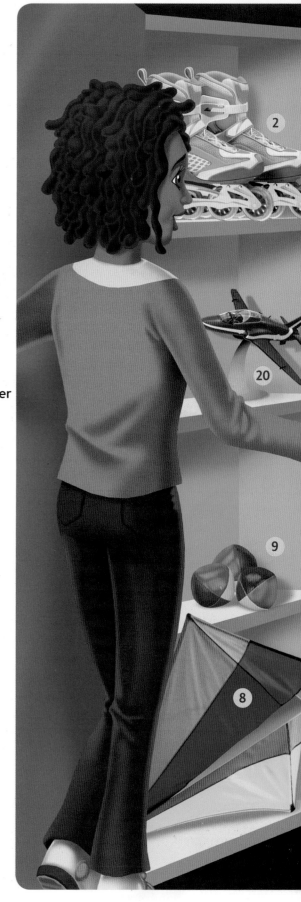

1 la planche à roulettes
skateboard

2 les patins à roues alignées
in-line skates

3 le ballon de soccer
soccer ball

4 la raquette
racquet

5 le volant
shuttlecock

6 le bâton de baseball
bat

7 le yoyo
yo-yo

8 le cerf-volant
kite

9 les balles de jonglage
juggling balls

10 l'échiquier
chessboard

11 les pièces d'échecs
chess pieces

12 les écouteurs
earbuds

13 le casse-tête
jigsaw puzzle

14 le jeu de société
board game

15 les magazines
magazines

16 le roman
book

17 le DVD
DVD

18 le lecteur de musique
music player

19 la console de jeu
video game console

20 le modèle réduit
model

L'art • *Art*

Les œuvres d'art sont inspirées par des observations ou l'imagination. La peinture, un appareil photo, de l'argile et même du marbre sont tous des médiums artistiques utilisés pour créer de l'art. Les œuvres d'art célèbres sont exposées dans les musées et les galeries d'art du monde entier.

People create art by observing what they see around them, or by using their imagination. We can use paints, cameras, clay or even marble to create art. You can see the work of famous artists in galleries around the world.

le portrait
portrait

l'esquisse
sketch

la photographie
photograph

la nature morte
still life

un paysage en aquarelle
watercolour landscape

la bande dessinée
cartoon

Le matériel de l'artiste • *Artist's equipment*

la palette
palette

l'argile
modelling clay

la peinture à l'huile
oil paints

le fusain
charcoal

les pastels
pastels

la craie
chalk

le pinceau
paintbrush

le bloc à dessin
sketchbook

l'aquarelle
watercolours

la tapisserie
tapestry

le vitrail
stained glass

le graffiti
graffiti

la sculpture
sculpture

Les instruments de musique • *Musical instruments*

Il y a quatre catégories principales d'instruments de musique : les instruments à cordes dont on doit pincer les cordes ou les frotter avec un archet; les instruments à clavier qui ont des touches sur lesquelles on doit appuyer; les instruments à vent dans lesquels on doit souffler et les percussions sur lesquelles on doit frapper.

There are four main types of musical instruments. Stringed instruments have strings to pluck or play with a bow. Keyboard instruments have keys to press. Wind instruments are played by blowing air through them. Percussion instruments are banged to make noise.

Les instruments à vent
Wind instruments

Les instruments à clavier
Keyboard instruments

le synthétiseur
synthesizer

la trompette
trumpet

la flûte de pan
pan pipes

l'orgue
organ

le piano
piano

la flûte
traversière
flute

la clarinette
clarinet

le saxophone
saxophone

Les instruments à cordes • *Stringed instruments*

le sitar
sitar

l'archet
bow

la harpe
harp

la contrebasse
double bass

le violoncelle
cello

le violon
violin

la guitare
guitar

Les percussions
Percussion instruments

les maracas
maracas

le tambourin
tambourine

les cymbales
cymbals

la batterie
drum kit

le tabla
tabla

La musique et la danse • *Music and dance*

Partout dans le monde, les gens aiment faire de la musique et créer des danses de toutes sortes. La musique peut être jouée par un grand orchestre, un groupe ou un soliste. On peut danser seul, avec un partenaire ou en groupe.

People around the world love to create different types of music and dance. Music can be played by a large orchestra, by a small band or by a solo performer. You can dance alone, with a partner or in a group.

la musique classique
classical

le rock
rock

le jazz
jazz

la musique pop
pop

la musique folk
folk

Art, music and entertainment

le reggae
reggae

le rap
rap

la musique soul
soul

les musiques du monde
world music

La danse • *Dance*

les claquettes
tap dancing

le breakdance
breakdancing

les danses de salon
ballroom dancing

le ballet
ballet

La télévision, le cinéma et le théâtre
Television, film and theatre

Il est important de travailler en équipe pour créer un film, une pièce de théâtre ou une émission comme un spectacle d'artistes amateurs.

Teamwork is important when a show is being made for television, film or the theatre, such as a talent show.

1 le caméraman
camera operator

2 l'ingénieur du son
sound engineer

3 la réalisatrice
director

4 la caméra
camera

5 la scène
stage

6 le projecteur
spotlight

7 le micro
microphone

8 le chanteur, la chanteuse
singer

9 le danseur, la danseuse
dancer

10 l'acteur, l'actrice
actor

11 le costume
costume

12 les décors
scenery

13 le régisseur, la régisseuse
stage manager

14 l'écran de contrôle
monitor

15 la claquette
clapperboard

16 les rideaux
curtains

17 le producteur, la productrice
producer

18 le public
audience

L'art, la musique et le monde du spectacle

Les émissions et les films • *TV shows and movies*

Quel genre de film ou d'émission télévisée aimes-tu? Préfères-tu les comédies ou les films qui donnent à réfléchir? Il y a des films et des émissions télévisées qui traitent de faits réels, il y en a d'autres qui sont imaginaires.

What kinds of movies and TV shows do you like? Do you prefer comedies or movies that make you think? Some movies and TV programs show real events. Others show imaginary situations.

le film d'horreur
horror

la science-fiction et le fantastique
science fiction and fantasy

l'action et l'aventure
action and adventure

la comédie
comedy

Art, music and entertainment

le dessin animé
cartoon

les informations
newscast

l'émission de sports
sports broadcast

l'interview-variétés
talk show

le documentaire sur la nature
nature documentary

le jeu télévisé
game show

Les véhicules de tourisme • *Passenger vehicles*

Il y a mille et une façons de voyager. Tu peux prendre les transports en commun, comme le train, l'autobus ou le métro, ou tu peux avoir ton propre véhicule comme une bicyclette ou une voiture.

There are many ways to travel. You can go by public transport, such as the train, bus or subway, or you can use your own vehicle, such as a bicycle or car.

Les parties d'une voiture • *Parts of a car*

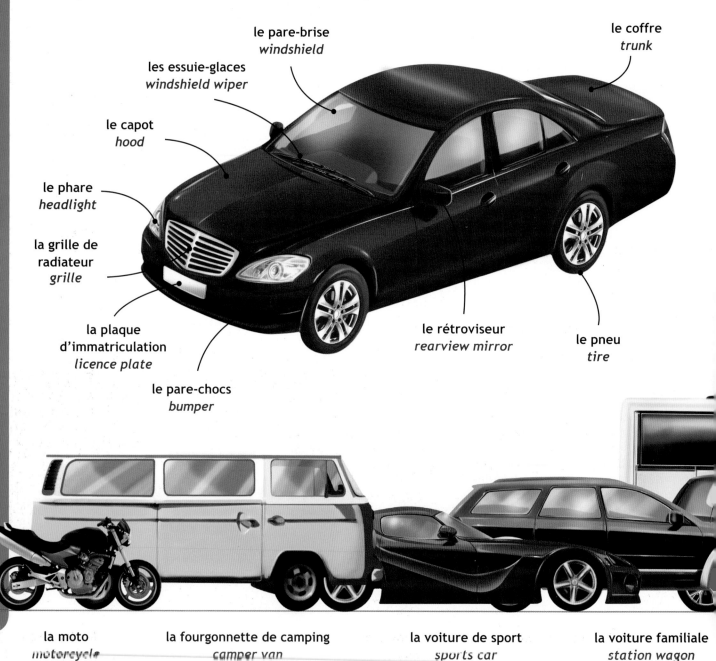

le pare-brise
windshield

le coffre
trunk

les essuie-glaces
windshield wiper

le capot
hood

le phare
headlight

la grille de radiateur
grille

la plaque d'immatriculation
licence plate

le pare-chocs
bumper

le rétroviseur
rearview mirror

le pneu
tire

la moto
motorcycle

la fourgonnette de camping
camper van

la voiture de sport
sports car

la voiture familiale
station wagon

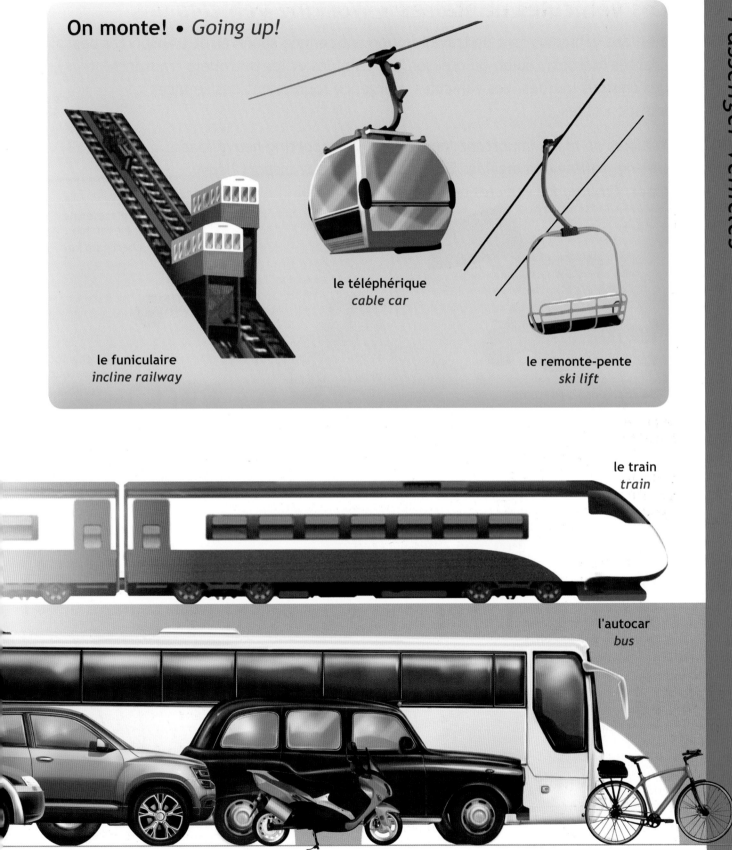

On monte! • *Going up!*

le funiculaire
incline railway

le téléphérique
cable car

le remonte-pente
ski lift

le train
train

l'autocar
bus

le véhicule utilitaire sport
SUV

la mobylette
moped

le taxi
taxi, cab

la bicyclette
bicycle

Les véhicules utilitaires • *Working vehicles*

Bien des véhicules font un travail important comme soulever et transporter des charges lourdes, rouler, ou creuser. Les camions et les pétroliers transportent des charges lourdes. Les véhicules d'urgence fournissent des services indispensables.

Vehicles do many important jobs such as transporting heavy loads, lifiting, rolling and digging. Trucks and tankers transport heavy loads. Emergency vehicles provide essential help.

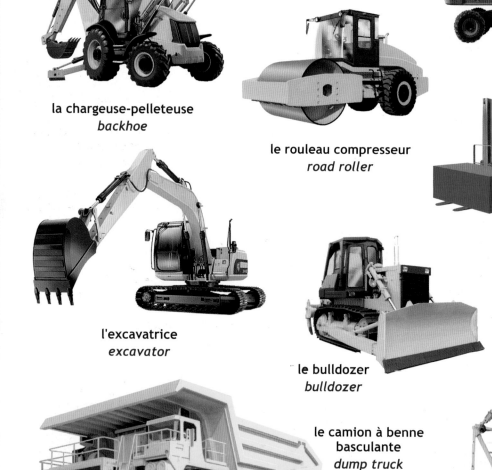

la plateforme
élévatrice
cherry picker

la chargeuse-pelleteuse
backhoe

le rouleau compresseur
road roller

le chariot
élévateur
forklift

l'excavatrice
excavator

le bulldozer
bulldozer

le camion à benne
basculante
dump truck

la grue
crane

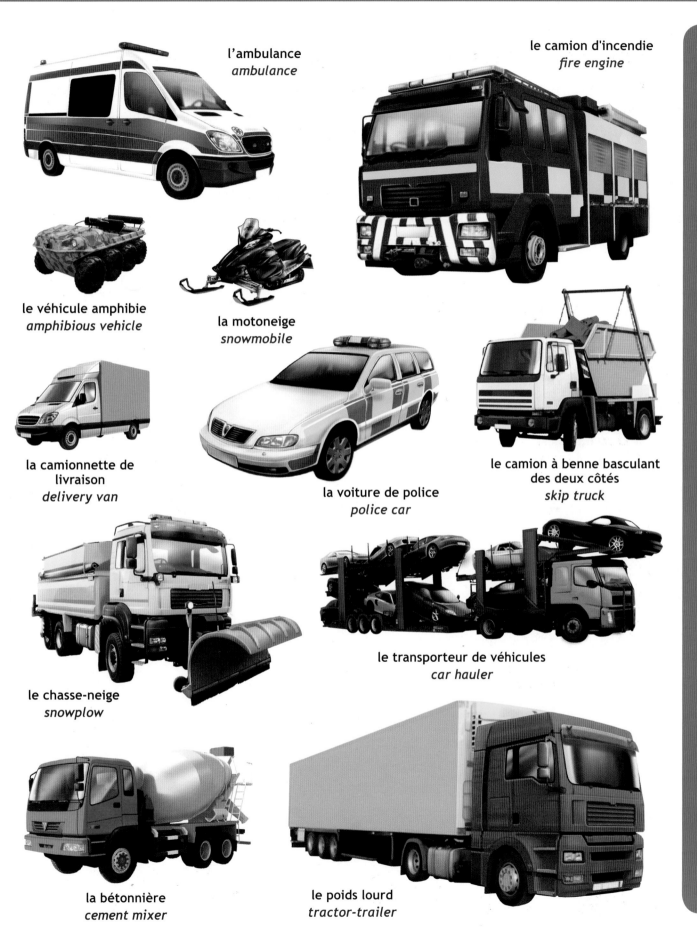

l'ambulance
ambulance

le camion d'incendie
fire engine

le véhicule amphibie
amphibious vehicle

la motoneige
snowmobile

la camionnette de livraison
delivery van

la voiture de police
police car

le camion à benne basculant des deux côtés
skip truck

le chasse-neige
snowplow

le transporteur de véhicules
car hauler

la bétonnière
cement mixer

le poids lourd
tractor-trailer

Les avions

Les avions • *Aircraft*

Un aéronef fonctionne au moyen d'un moteur à réaction ou d'hélices, ou encore de pales de rotor. La montgolfière s'élève dans les airs, car le gaz qui se trouve à l'intérieur du ballon est plus léger que l'air ambiant. Le planeur est porté par des courants aériens appelés courants ascendants.

Aircraft are powered by jet engines, by propellers, or by rotor blades. A hot-air balloon rises up because the air inside its envelope is lighter than the surrounding air. Gliders ride on currents of air, known as thermals.

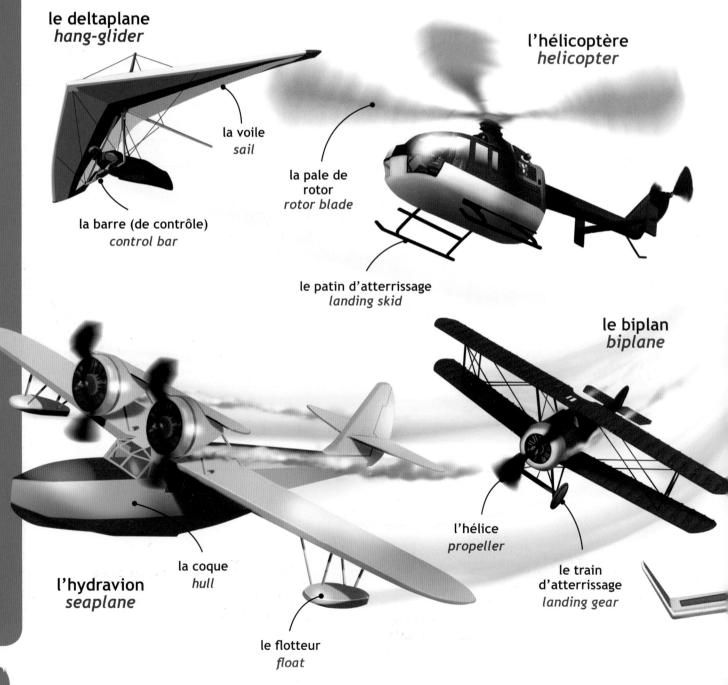

le deltaplane
hang-glider

la voile
sail

la barre (de contrôle)
control bar

l'hélicoptère
helicopter

la pale de rotor
rotor blade

le patin d'atterrissage
landing skid

le biplan
biplane

l'hélice
propeller

le train d'atterrissage
landing gear

la coque
hull

l'hydravion
seaplane

le flotteur
float

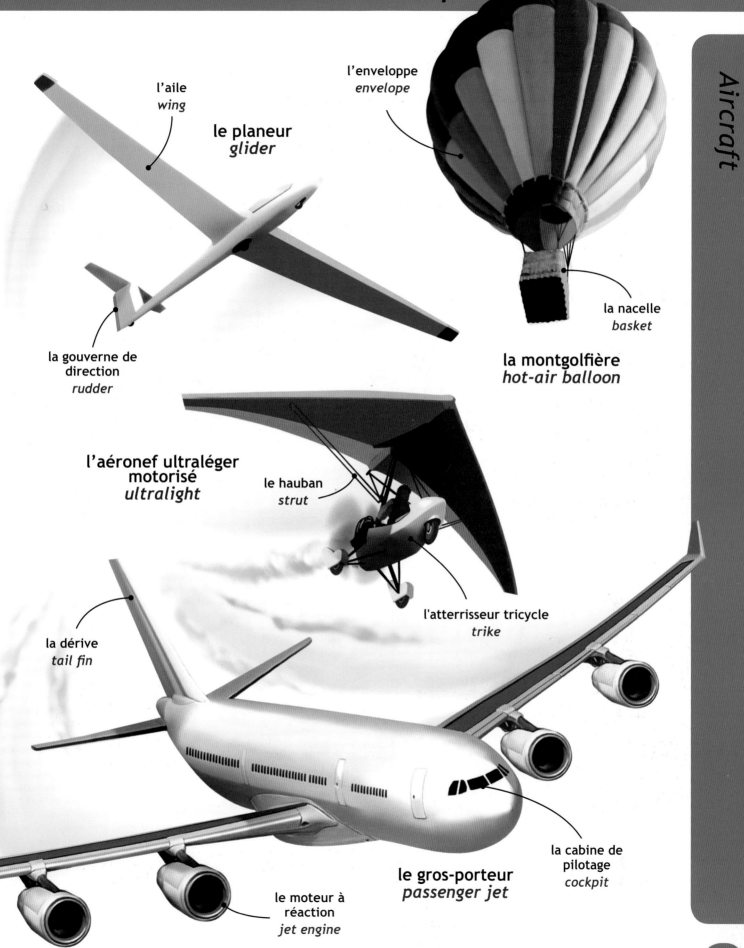

l'aile
wing

le planeur
glider

l'enveloppe
envelope

la nacelle
basket

la gouverne de direction
rudder

la montgolfière
hot-air balloon

l'aéronef ultraléger motorisé
ultralight

le hauban
strut

l'atterrisseur tricycle
trike

la dérive
tail fin

la cabine de pilotage
cockpit

le gros-porteur
passenger jet

le moteur à réaction
jet engine

Les navires, les bateaux et autres embarcations
Ships, boats and other craft

De nos jours, la plupart des bateaux sont équipés d'un moteur. Les voiliers sont poussés par le vent. Un bateau à rames est propulsé à l'aide de rames et un canoë à l'aide de pagaies.

Today most large ships and boats have some kind of engine. Sailing boats rely on wind power. A rowboat has a set of oars, and a canoe has a paddle.

l'hydroptère
hydrofoil

le pétrolier
tanker

la voile
sail

le mât
mast

le traversier
ferry

le bateau à moteur
motorboat

le véliplanchiste
windsurfer

la bôme
boom

la planche à voile
sailboard

le yacht
yacht

Les parties d'un bateau
Parts of a ship

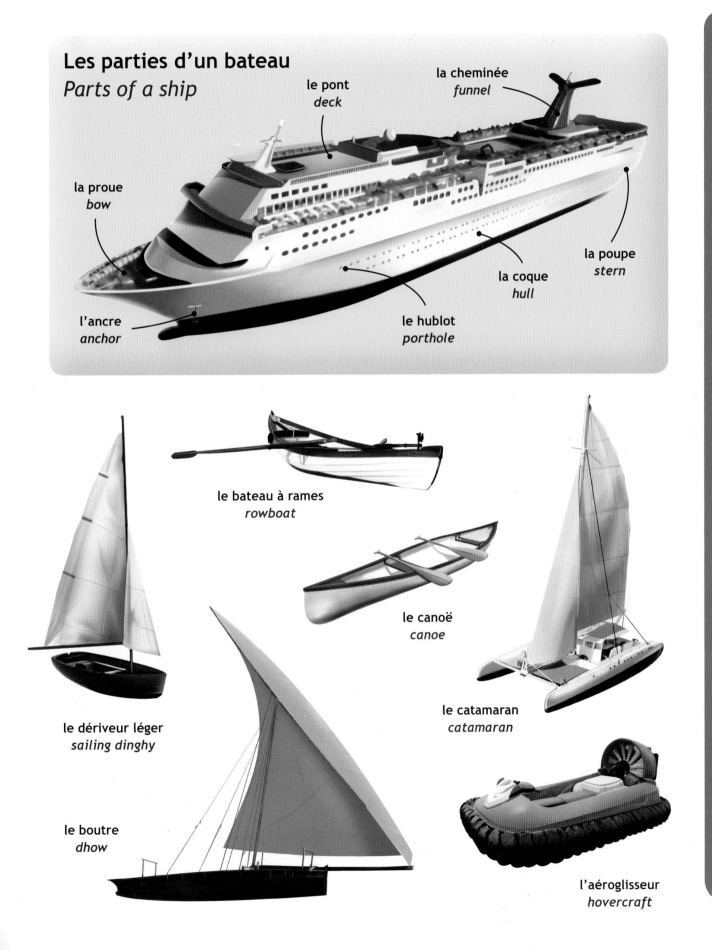

le pont
deck

la cheminée
funnel

la proue
bow

la poupe
stern

l'ancre
anchor

la coque
hull

le hublot
porthole

le bateau à rames
rowboat

le canoë
canoe

le dériveur léger
sailing dinghy

le catamaran
catamaran

le boutre
dhow

l'aéroglisseur
hovercraft

La science et la technologie

L'énergie et l'électricité • *Energy and power*

Nous dépendons de l'énergie pour produire la lumière et la chaleur dont nous avons besoin dans nos foyers et pour alimenter les moteurs des machines que nous utilisons quotidiennement. Cette énergie provient de différentes sources. Elle est transformée en électricité et amenée dans nos foyers.

We rely on energy to supply our homes with light and heat and to run the machines we use every day. But where does that energy come from? Energy comes from a range of sources. It is converted into electricity and delivered to our homes.

l'énergie solaire
solar power

l'énergie hydroélectrique
hydroelectric power

la bioénergie
biofuels

l'énergie géothermique
geothermal energy

l'énergie marémotrice
tidal energy

l'énergie éolienne
wind power

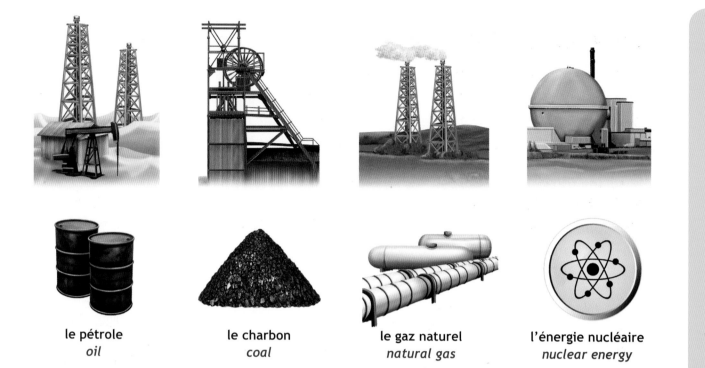

le pétrole	le charbon	le gaz naturel	l'énergie nucléaire
oil	*coal*	*natural gas*	*nuclear energy*

Un circuit électrique • *Electrical circuit*

L'électricité passe dans un circuit. Ce circuit est fait de plusieurs composants comme l'interrupteur, le fil et l'ampoule. On peut dessiner le schéma d'un circuit électrique, chaque composant étant représenté par le symbole correspondant.

Electricity runs through a circuit. The circuit includes several components or parts, such as a switch, a wire and a light bulb. Electrical circuits can be shown as diagrams. Circuit diagrams have symbols to represent each component.

Le schéma d'un circuit électrique
circuit diagram

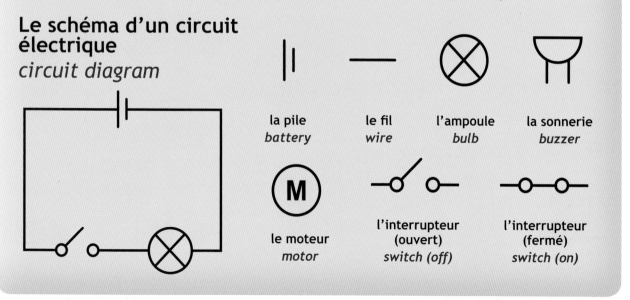

la pile	le fil	l'ampoule	la sonnerie
battery	*wire*	*bulb*	*buzzer*

le moteur	l'interrupteur (ouvert)	l'interrupteur (fermé)
motor	*switch (off)*	*switch (on)*

Des matériaux de toutes sortes

Des matériaux de toutes sortes • *Types of materials*

Différents matériaux possèdent différentes propriétés : ils peuvent être lourds ou légers, flexibles ou rigides. Certains sont magnétiques (capables d'attirer un objet en fer). D'autres sont conducteurs (ils laissent passer le courant électrique), ou isolants (ils ne permettent pas le passage du courant électrique).

Materials have different properties. They may be heavy or light, flexible or rigid. A few materials are magnetic (able to attract metals like iron). Some materials are good conductors and allow an electric current to pass through them. Others are insulators and block electric currents.

le verre
glass

le cuir
leather

le papier
paper

le plastique
plastic

le caoutchouc
rubber

la porcelaine
china

le bois
wood

la cire
wax

la laine
wool

le coton
cotton

Les matériaux et leurs propriétés
Properties of materials

dur • *hard*
mou • *soft*
transparent • *transparent*
opaque • *opaque*
rêche • *rough*
luisant • *shiny*
lisse • *smooth*

magnétique • *magnetic*
terne • *dull*
imperméable • *waterproof*
absorbant • *absorbent*

l'or
gold

l'argent
silver

le bronze
bronze

la pierre
stone

le laiton
brass

le fer
iron

l'acier
steel

le cuivre
copper

Les bâtiments et autres constructions
Buildings and structures

Les bâtiments et les constructions en général doivent être très solides. On peut utiliser une grande variété de matériaux comme la pierre, le bois, la brique, le béton, l'acier ou le verre, ou plusieurs de ces matériaux à la fois.

Buildings and structures need to be very strong. They can be constructed from a wide range of materials. Builders may use stone, wood, bricks, concrete, steel or glass, or a combination of these materials.

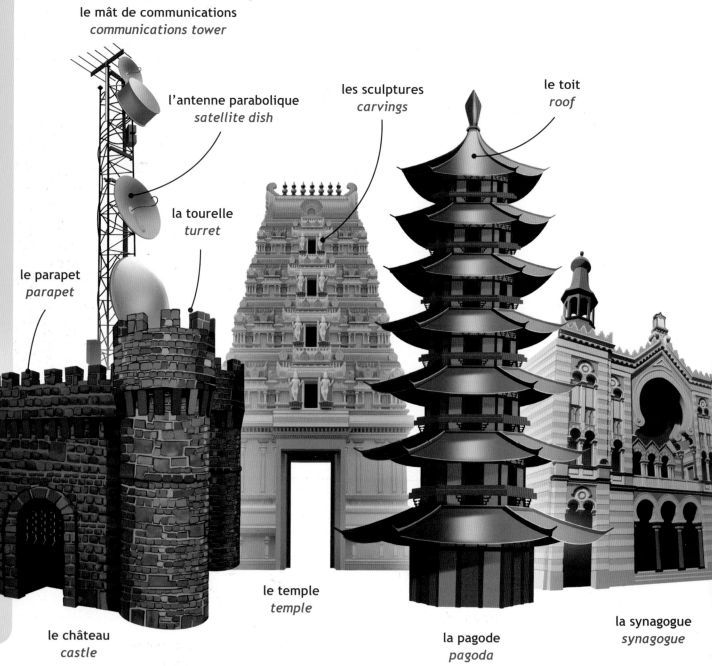

le mât de communications
communications tower

l'antenne parabolique
satellite dish

les sculptures
carvings

le toit
roof

la tourelle
turret

le parapet
parapet

le château
castle

le temple
temple

la pagode
pagoda

la synagogue
synagogue

Science and technology

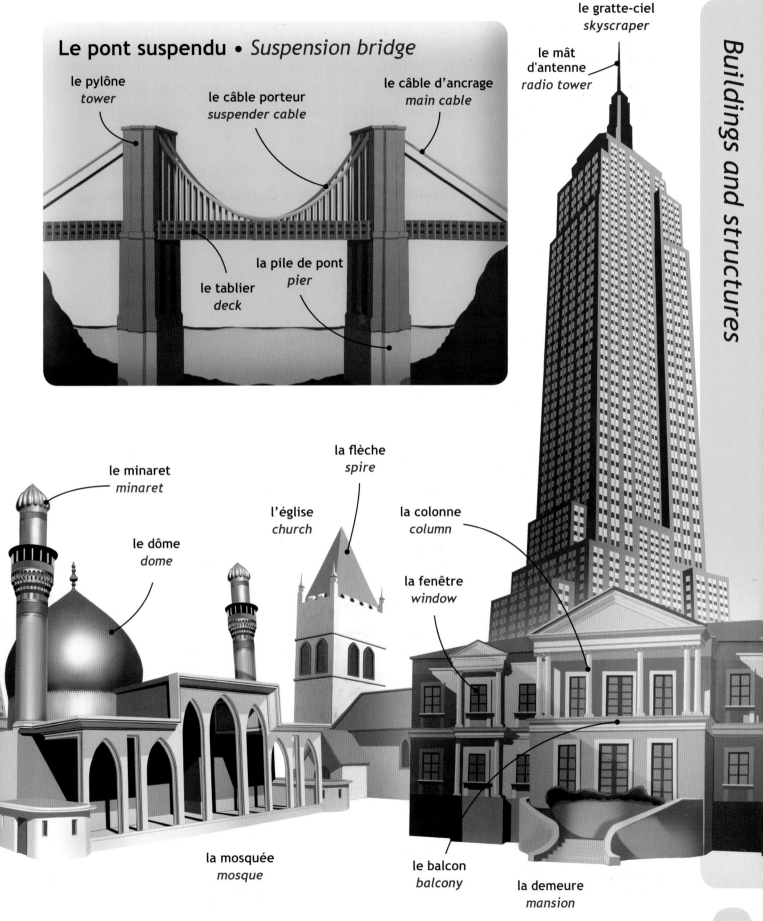

Le pont suspendu • *Suspension bridge*

le pylône
tower

le câble porteur
suspender cable

le câble d'ancrage
main cable

la pile de pont
pier

le tablier
deck

le gratte-ciel
skyscraper

le mât
d'antenne
radio tower

le minaret
minaret

le dôme
dome

la flèche
spire

l'église
church

la colonne
column

la fenêtre
window

la mosquée
mosque

le balcon
balcony

la demeure
mansion

Les forces et les machines • *Forces and machines*

La traction et la poussée sont des forces qui font bouger un objet ou interrompent son mouvement. Une fois tiré ou poussé, l'objet continue de bouger grâce à l'impulsion. Le frottement agit sur l'objet et l'arrête. La gravité attire les objets vers la Terre.

Forces are pushes or pulls that make an object move or make it stop. Momentum keeps objects moving after they have been pushed or pulled. Friction acts on objects to make them stop moving. The force of gravity pulls objects down toward the Earth.

Les forces en action • *Forces in action*

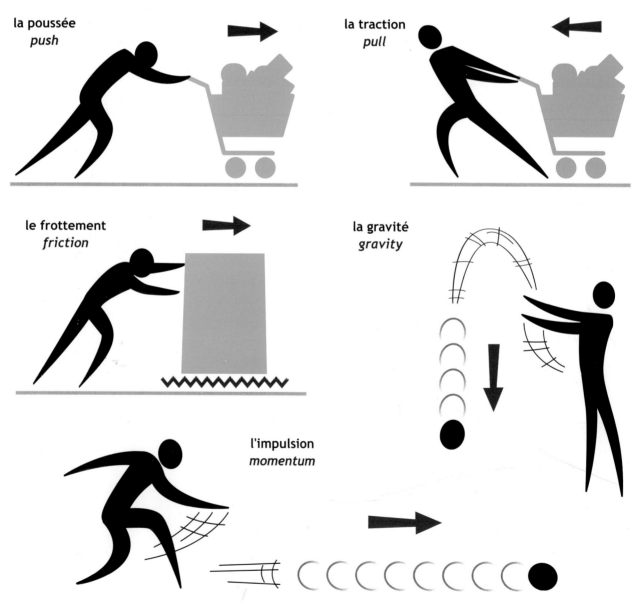

la poussée
push

la traction
pull

le frottement
friction

la gravité
gravity

l'impulsion
momentum

Des machines simples • *Simple machines*

La poussée et la traction sont des forces utilisées par les machines pour soulever de lourdes charges.

Pushes and pulls can be used in machines to lift heavy loads.

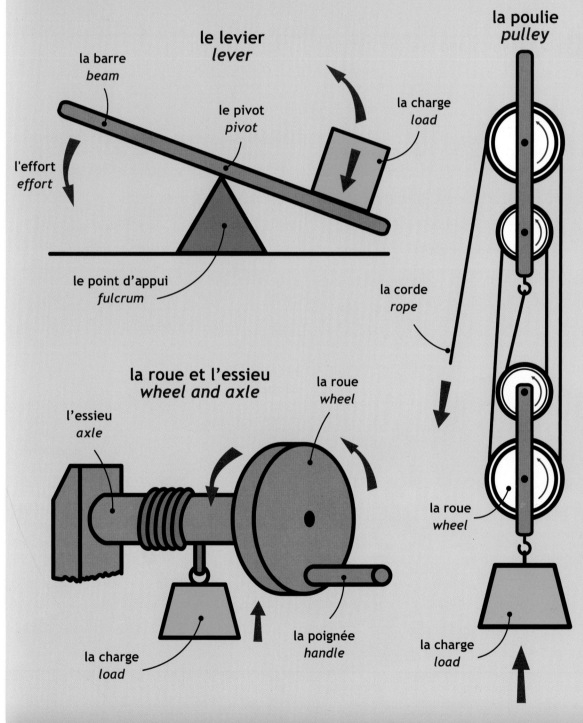

le levier
lever

la barre
beam

le pivot
pivot

la charge
load

l'effort
effort

le point d'appui
fulcrum

la poulie
pulley

la corde
rope

la roue
wheel

la charge
load

la roue et l'essieu
wheel and axle

la roue
wheel

l'essieu
axle

la charge
load

la poignée
handle

Les ordinateurs et les appareils électroniques
Computers and electronic devices

Les ordinateurs et les appareils électroniques jouent un rôle important dans nos vies. Ils permettent de communiquer instantanément, de garder contact avec nos amis et de chercher de l'information sur Internet et plus encore.

Computers and electronic devices transform our lives. We communicate instantly, keep up with friends and use the Internet for information.

Sur Internet • *On the Internet*

LA PIÈCE JOINTE • *ATTACHMENT*	LE TWEET • *TWEET*
LA PAGE D'ACCUEIL • *HOME PAGE*	CHERCHER • *SEARCH*
CLAVARDER • *CHAT*	NAVIGUER, CONSULTER • *BROWSE*
SE CONNECTER • *CONNECT*	SURFER • *SURF*
LE COURRIEL • *EMAIL*	TÉLÉCHARGER • *DOWNLOAD*
LE BLOGUE • *BLOG*	TÉLÉCHARGER, METTRE EN LIGNE • *UPLOAD*
	LE WI-FI • *WI-FI*

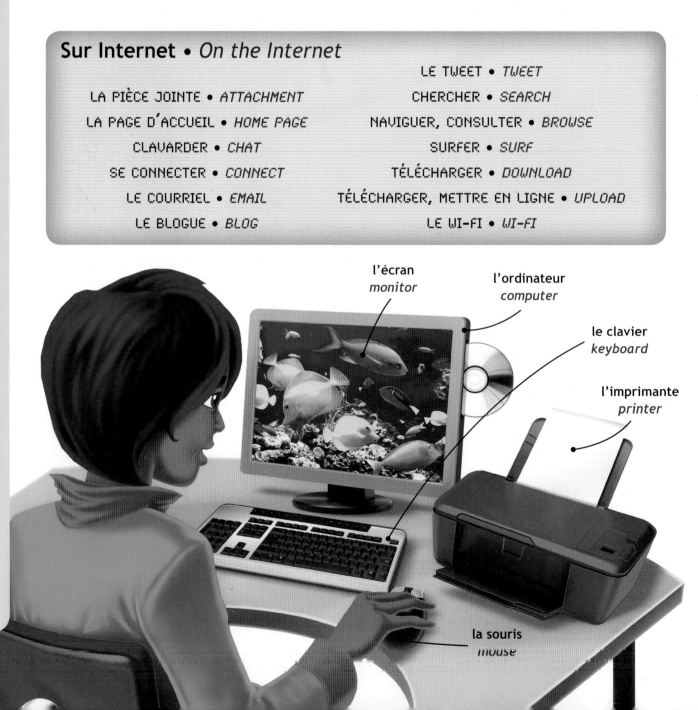

l'écran
monitor

l'ordinateur
computer

le clavier
keyboard

l'imprimante
printer

la souris
mouse

le lecteur MP3
MP3 player

le téléphone portable
mobile phone

la clé USB
USB flash drive

l'appareil photo numérique
digital camera

la tablette
tablet

l'ordinateur portatif
laptop

la tablette de lecture (liseuse)
e-reader

L'ordinateur en action • *Computer actions*

CONNECTER • *CONNECT*	INSÉRER • *INSERT*
SE CONNECTER • *LOG-ON*	EFFACER • *DELETE*
SE DÉCONNECTER • *LOG-OFF*	FORMATER • *FORMAT*
TAPER • *TYPE*	RÉVISER • *EDIT*
(FAIRE) DÉFILER • *SCROLL*	LE CORRECTEUR ORTHOGRAPHIQUE • *SPELL CHECK*
CLIQUER • *CLICK*	IMPRIMER • *PRINT*
GLISSER • *DRAG*	SCANNER • *SCAN*
COUPER • *CUT*	SAUVEGARDER • *SAVE*
COLLER • *PASTE*	FAIRE UNE COPIE (DE SAUVEGARDE) • *BACK UP*

Les mammifères • *Mammals*

Les mammifères sont des animaux à sang chaud, ce qui signifie que la température de leur corps demeure constante même s'il fait froid. Les femelles donnent naissance à des petits qu'elles nourrissent de leur lait. (Elles ne pondent pas d'œufs.) Il y a des mammifères de toutes tailles : des minuscules souris et chauves-souris aux énormes éléphants, baleines et dauphins.

Mammals are warm-blooded, which means they can stay warm even in cold surroundings. Female mammals give birth to live babies (rather than eggs) and feed their babies with milk. Mammals range in size from tiny mice and bats to enormous elephants, whales and dolphins.

le singe
monkey

la girafe
giraffe

l'éléphant
elephant

le dromadaire
camel

le rhinocéros
rhinoceros

l'ours polaire
polar bear

l'hippopotame
hippopotamus

le léopard
leopard

Insolites et extraordinaires
Unusual and extraordinary

la taupe à nez étoilé
star-nosed mole

l'ornithorynque
duck-billed platypus

le pangolin
pangolin

le paresseux
sloth

le zèbre
zebra

le lama
llama

l'écureuil
squirrel

le cerf
deer

le suisse
chipmunk

le gorille
gorilla

le lion
lion

la panthère
panther

le kangourou
kangaroo

le guépard
cheetah

Les animaux domestiques • *Domestic animals*

La vie de certains animaux est étroitement liée à celle de l'homme. Les animaux de trait tirent ou portent de lourdes charges. Les chiens sont aussi très utiles pour rassembler les troupeaux de moutons, pister ou chasser. Les animaux de ferme sont élevés pour leur viande, leur lait ou leurs œufs. Beaucoup d'entre nous ont des animaux de compagnie.

Some animals live very closely with people. Large working animals pull or carry heavy loads. Dogs perform many useful tasks, such as herding sheep, tracking or hunting. Farm animals are kept for their meat or for their milk or eggs, and many people like to keep animals as pets.

le buffle d'Inde
water buffalo

le cheval
horse

la chèvre
goat

le chien de berger
sheepdog

le mouton
sheep

Animals and plants

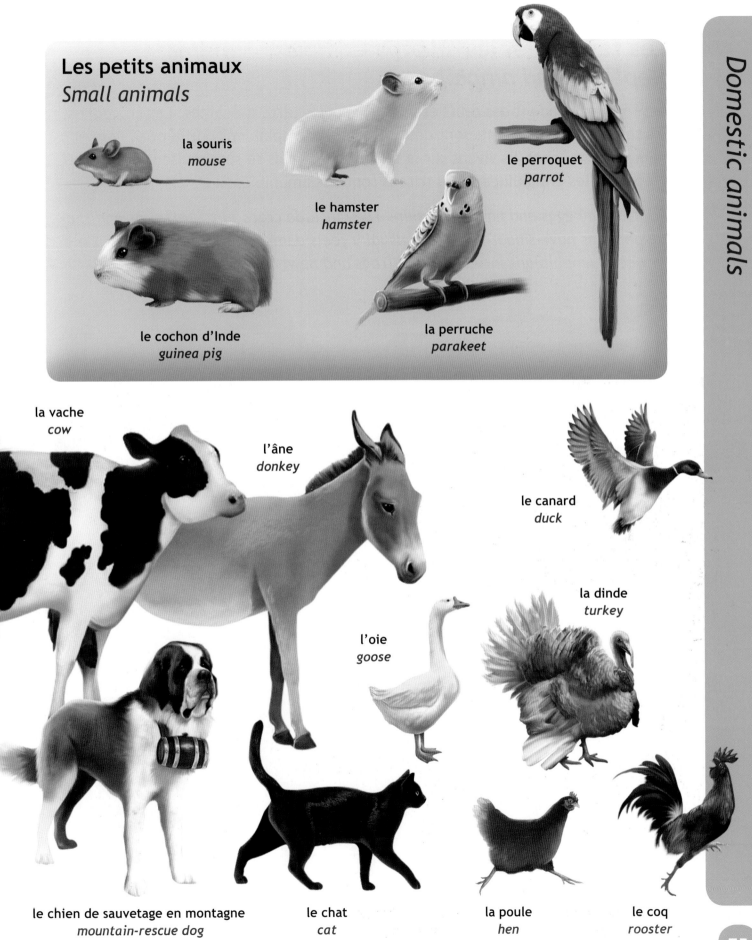

Les petits animaux
Small animals

la souris
mouse

le hamster
hamster

le perroquet
parrot

le cochon d'Inde
guinea pig

la perruche
parakeet

la vache
cow

l'âne
donkey

le canard
duck

la dinde
turkey

l'oie
goose

le chien de sauvetage en montagne
mountain-rescue dog

le chat
cat

la poule
hen

le coq
rooster

Les reptiles et les amphibiens
Reptiles and amphibians

Les reptiles pondent des œufs et ont la peau couverte d'écailles. Les crocodiles, les tortues et les serpents sont des reptiles. Les amphibiens ont la peau lisse et humide au toucher. Ils vivent sur la terre ferme, mais se reproduisent dans l'eau. Les crapauds, les grenouilles et les tritons sont des amphibiens.

Reptiles lay eggs and have scaly skin. They include crocodiles, tortoises and snakes. Amphibians have smooth skin that usually feels damp. They live on land but breed in water. Amphibians include toads, frogs and newts.

la tortue marine
turtle

la tortue
tortoise

le lézard
lizard

l'iguane
iguana

le caméléon
chameleon

le dragon de Komodo
Komodo dragon

la salamandre
salamander

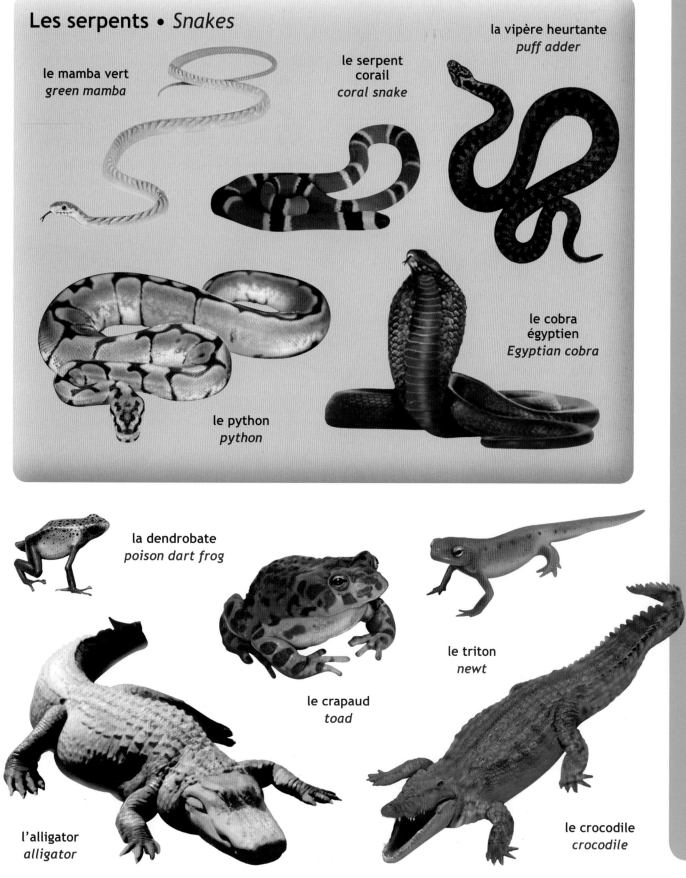

Les serpents • *Snakes*

le mamba vert
green mamba

le serpent corail
coral snake

la vipère heurtante
puff adder

le python
python

le cobra égyptien
Egyptian cobra

la dendrobate
poison dart frog

le crapaud
toad

le triton
newt

l'alligator
alligator

le crocodile
crocodile

Les poissons • *Fish*

Les poissons vivent et se reproduisent dans l'eau. Ils sont en général recouverts d'écailles. Ils se propulsent grâce à leurs nageoires et à la puissance de leur corps et de leur queue. Ils respirent sous l'eau grâce à des branchies qui absorbent l'oxygène dissout dans l'eau.

Fish live and breed in water. Most fish are covered in scales, and they swim by using their fins and their powerful bodies and tails. Fish use gills to breathe under water. The gills take in the oxygen that is dissolved in water.

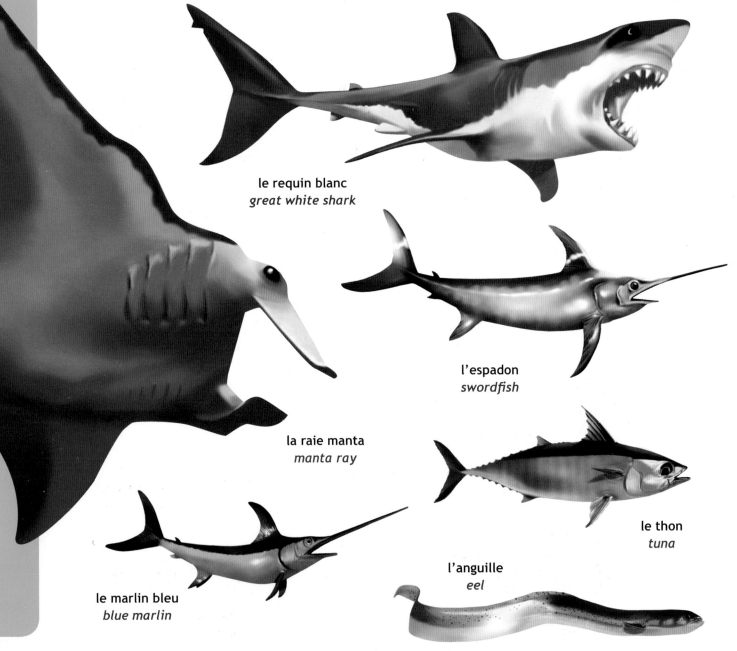

le requin blanc
great white shark

l'espadon
swordfish

la raie manta
manta ray

le thon
tuna

l'anguille
eel

le marlin bleu
blue marlin

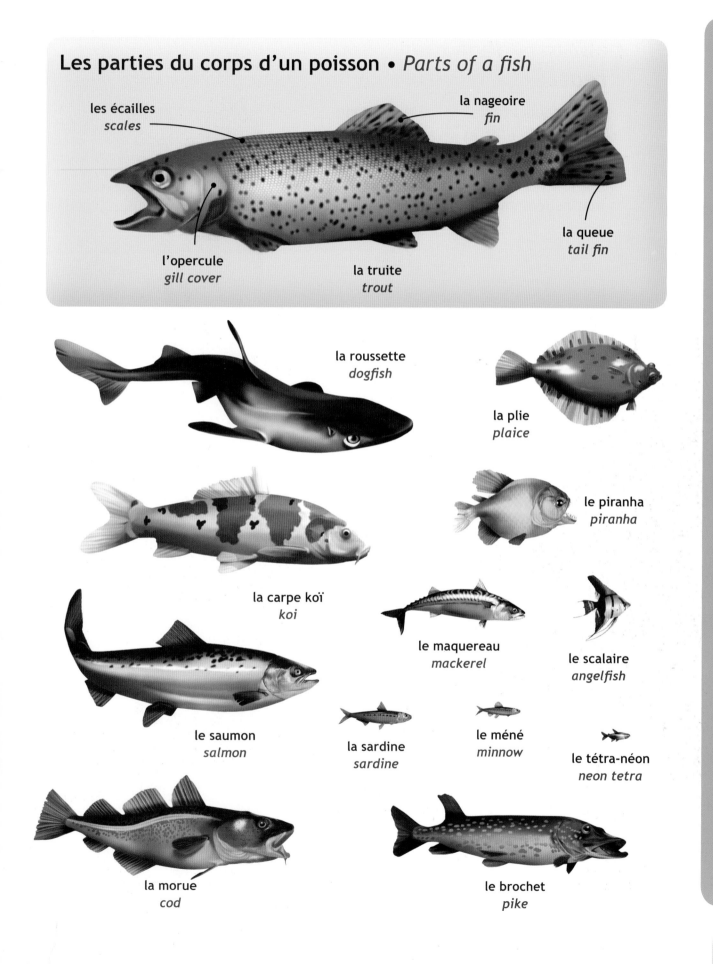

Les parties du corps d'un poisson • *Parts of a fish*

les écailles
scales

la nageoire
fin

l'opercule
gill cover

la queue
tail fin

la truite
trout

la roussette
dogfish

la plie
plaice

le piranha
piranha

la carpe koï
koi

le maquereau
mackerel

le scalaire
angelfish

le saumon
salmon

la sardine
sardine

le méné
minnow

le tétra-néon
neon tetra

la morue
cod

le brochet
pike

Les habitants de la mer
Sea creatures

Dans les profondeurs de la mer, il existe une diversité incroyable d'êtres vivants. Il y a des mammifères (commes les baleines et les dauphins), des amphibiens (comme les tritons verts), des reptiles marins (comme le serpent de mer) et une grande variété de poissons.

As you dive deep into the sea, you find an amazing range of creatures. There are mammals (such as whales and dolphins) amphibians (like eastern newts), marine reptiles (like sea snakes), and many varieties of fish.

❶ le poisson volant
flying fish

❷ l'anémone de mer
anemone

❸ le phoque
seal

❹ la baleine bleue
blue whale

❺ la pieuvre dumbo
dumbo octopus

❻ la crevette-mante
mantis shrimp

❼ l'araignée de mer
sea spider

❽ le dauphin
dolphin

❾ le morse
walrus

❿ la tortue de mer
sea turtle

⓫ le serpent de mer
sea snake

⓬ la pieuvre
octopus

⓭ le homard
lobster

⓮ l'hippocampe
seahorse

⓯ le nautile
nautilus

⓰ le requin-baleine
whale shark

⓱ le calamar géant
giant squid

⓲ la méduse géante
giant jellyfish

⓳ le requin du Groenland
Greenland shark

⓴ le concombre de mer
sea cucumber

㉑ le bathynome géant
giant isopod

Les insectes et autres petites bêtes
Insects and other small creatures

Les insectes ont six pattes et sont invertébrés (ils n'ont pas de colonne vertébrale). Leur corps est divisé en trois parties (la tête, le thorax et l'abdomen). Il existe d'autres créatures invertébrées comme les araignées et les mille-pattes.

Insects have six legs, no backbone and a body divided into three parts (the head, the thorax and the abdomen). Other small creatures without a backbone include spiders and centipedes.

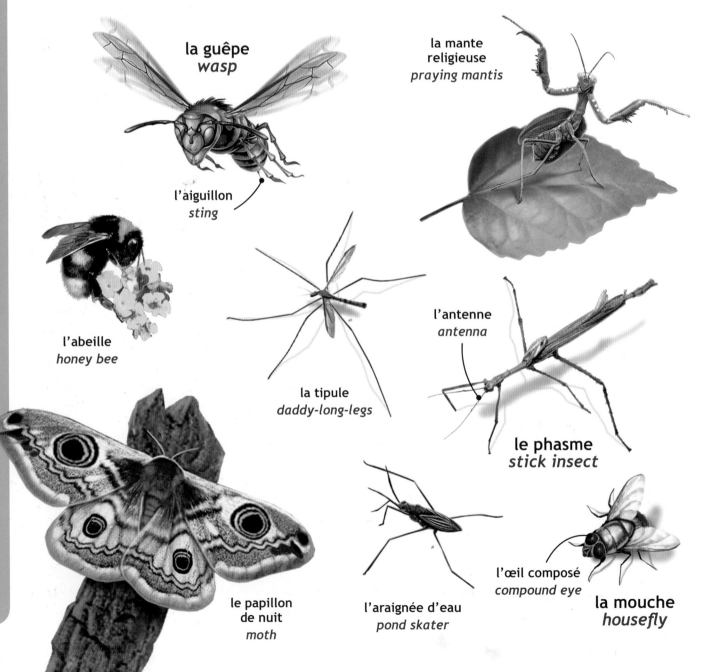

la guêpe
wasp

la mante religieuse
praying mantis

l'aiguillon
sting

l'abeille
honey bee

l'antenne
antenna

la tipule
daddy-long-legs

le phasme
stick insect

le papillon de nuit
moth

l'araignée d'eau
pond skater

l'œil composé
compound eye

la mouche
housefly

Animals and plants

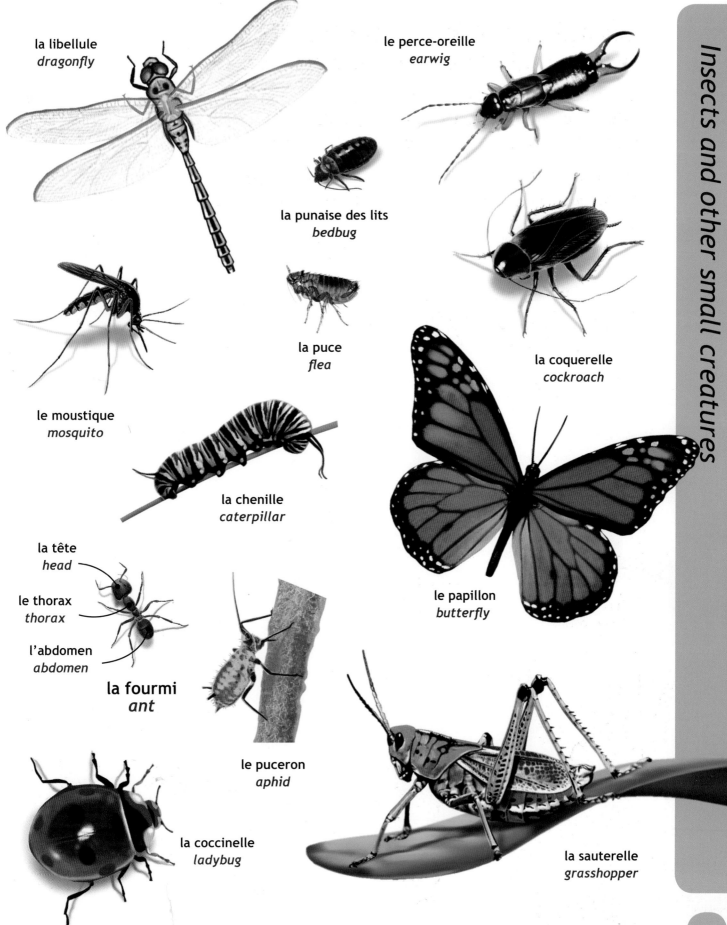

la libellule
dragonfly

le perce-oreille
earwig

la punaise des lits
bedbug

la coquerelle
cockroach

le moustique
mosquito

la puce
flea

la chenille
caterpillar

la tête
head

le thorax
thorax

l'abdomen
abdomen

la fourmi
ant

le puceron
aphid

le papillon
butterfly

la coccinelle
ladybug

la sauterelle
grasshopper

Les animaux nocturnes • *Nocturnal creatures*

Les animaux nocturnes dorment ou se reposent le jour. Ils sortent en fin de journée ou la nuit pour se nourrir.

Nocturnal creatures sleep or rest during the day. They come out in the evening or at night to look for food.

1 le blaireau • *badger*

2 le papillon de nuit • *moth*

3 le lémur • *lemur*

4 la limace • *slug*

5 le loup • *grey wolf*

6 le hérisson • *hedgehog*

7 le scorpion • *scorpion*

8 la mouffette • *skunk*

9 la chauve-souris • *bat*

10 le raton laveur • *raccoon* 13 le renard • *fox* 16 l'opossum • *opossum*

11 le loir • *dormouse* 14 le porc-épic • *porcupine* 17 le tatou • *armadillo*

12 le tarsier • *tarsier* 15 le bernard-l'hermite • *hermit crab* 18 le hibou • *owl*

Les oiseaux • *Birds*

Les oiseaux ont deux pattes, deux ailes et un bec. Tous les oiseaux pondent des œufs et ont un plumage. La plupart des oiseaux volent; parmi les oiseaux qui ne volent pas, on trouve le manchot, l'émeu et l'autruche.

Birds have two legs, two wings and a beak. All birds lay eggs and are covered with feathers. Most birds can fly, but there are some flightless birds, such as the penguin, the emu and the ostrich.

le martin-pêcheur
kingfisher

le rouge-gorge
robin

l'hirondelle
swallow

le pic
woodpecker

le coucou gris
cuckoo

le paon
peacock

le héron
heron

le merle
blackbird

Insolites et extraordinaires • *Astonishing and amazing*

la spatule rosée
roseate spoonbill

le calao à casque rond
helmeted hornbill

la frégate
frigate bird

le vautour
vulture

l'aigle
eagle

l'autruche
ostrich

le pélican
pelican

le colibri
hummingbird

le flamant rose
flamingo

le manchot
penguin

le macareux moine
puffin

Les arbres et les arbustes • *Trees and shrubs*

Les arbres sont des plantes de grande taille qui mettent de nombreuses années à atteindre leur maturité. Leur tronc de bois est dense et ligneux; et leurs racines sont profondes. Les arbustes et arbrisseaux sont de petits arbres aux tiges ligneuses. Cela comprend les plantes aromatiques comme la lavande, le romarin et la sauge.

Trees are very large plants that take many years to grow to their full size. They have a thick and woody trunk and very deep roots. Shrubs are bushes with woody stems. They include some herbs, such as lavender, rosemary and sage.

le pin
pine

l'if
yew

le baobab
baobab

le séquoia
redwood

le sapin
fir

le marronnier
horse chestnut

le palmier
palm

le chêne
oak

le hêtre
beech

le houx
holly

l'olivier
olive

le cerisier
cherry

le pommier
apple

le citronnier
lemon

le mimosa
mimosa

le romarin
rosemary

la lavande
lavender

Les parties de l'arbre
Parts of a tree

les feuilles
leaves

la branche
branch

le tronc
trunk

la racine
root

l'écorce
bark

le sycomore • *sycamore*

l'eucalyptus
eucalyptus

Des plantes de toutes sortes • *Types of plants*

Les plantes sont vertes et ont besoin de lumière pour pousser. Il existe une très grande diversité de plantes : les fleurs, les plantes aromatiques, les graminées, les cactus, les fougères et les mousses.

Plants are green and need light to grow. There are many different types of plant, including flowering plants, herbs, grasses, cacti, ferns and mosses.

la pensée
pansy

la rose
rose

la jonquille
daffodil

l'orchidée
orchid

la tulipe
tulip

le lys
lily

le tournesol
sunflower

le coquelicot
poppy

le nénuphar
water lily

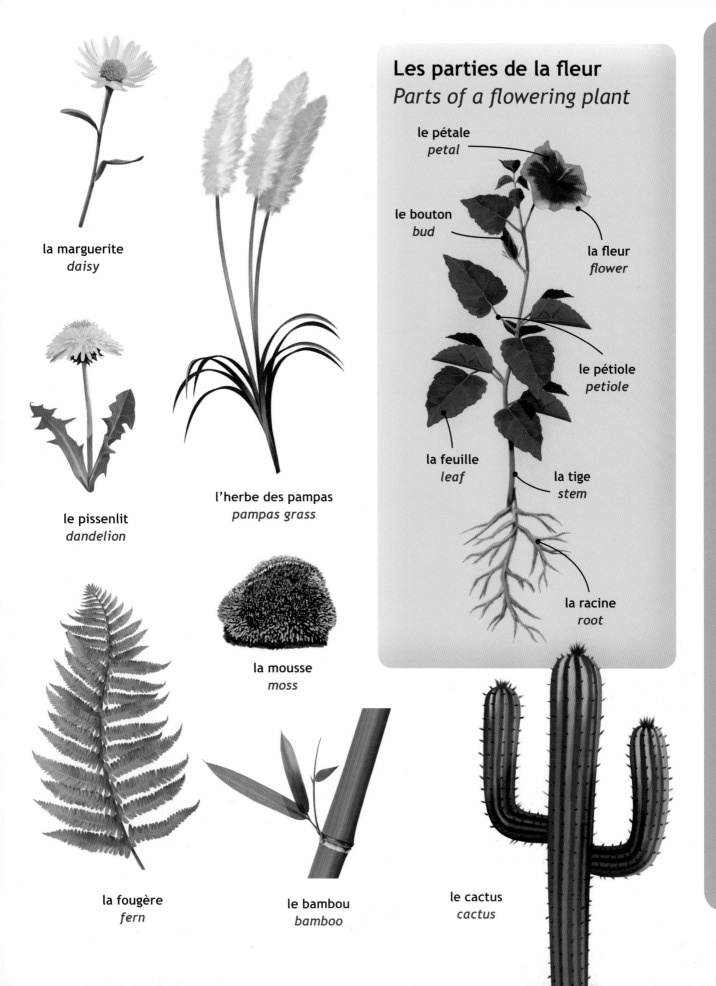

la marguerite
daisy

le pissenlit
dandelion

l'herbe des pampas
pampas grass

la mousse
moss

la fougère
fern

le bambou
bamboo

le cactus
cactus

Les parties de la fleur
Parts of a flowering plant

le pétale
petal

le bouton
bud

la fleur
flower

le pétiole
petiole

la feuille
leaf

la tige
stem

la racine
root

91

En ville • *Towns and cities*

C'est au centre de nos grandes villes que l'on trouve les bureaux, les musées et les banques, qui figurent parmi les constructions les plus imposantes du monde. À la périphérie des villes, se trouvent les banlieues. Beaucoup de banlieusards travaillent dans la ville.

In the centre of our towns and cities are offices, museums and banks. They are some of the largest buildings in the world. On the outskirts are the suburbs. Many people there commute into the city for work.

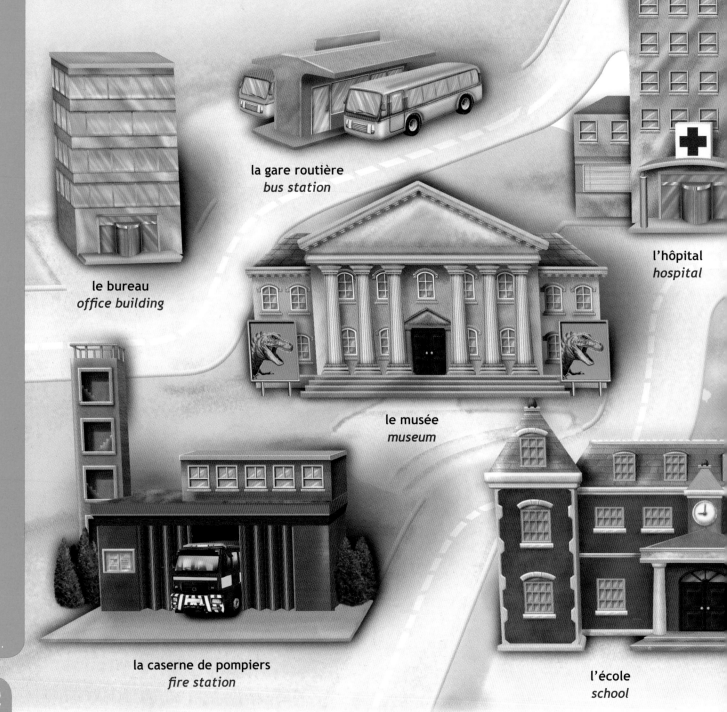

la gare routière
bus station

le bureau
office building

l'hôpital
hospital

le musée
museum

la caserne de pompiers
fire station

l'école
school

le stationnement
parking lot

le stade
stadium

le supermarché
supermarket

l'hôtel
hotel

la mairie
city hall

le restaurant
restaurant

le cinéma
movie theatre

Dans la rue • *On a street*

Les rues de nos villes sont souvent des endroits très animés. On y trouve une multitude de commerces, de magasins et de cafés. Les trottoirs fourmillent de gens qui magasinent avec leurs amis. Beaucoup de gens utilisent le transport en commun pour se déplacer.

City streets can be lively places. They are full of stores, businesses and restaurants. The sidewalks are busy with people running errands and window-shopping with friends. Many people also take public transportation to get around.

1 le café
café

2 le kiosque à journaux
newsstand

3 le dépanneur
convenience store

4 la banque
bank

5 le bureau de poste
post office

6 la boîte à lettres
mailbox

7 l'arrêt d'autobus
bus stop

8 la route
road

9 le trottoir
sidewalk

10 le réverbère
street light

11 le parcomètre
parking meter

12 la poubelle
garbage can

13 l'épicerie
grocery store

14 la librairie
book store

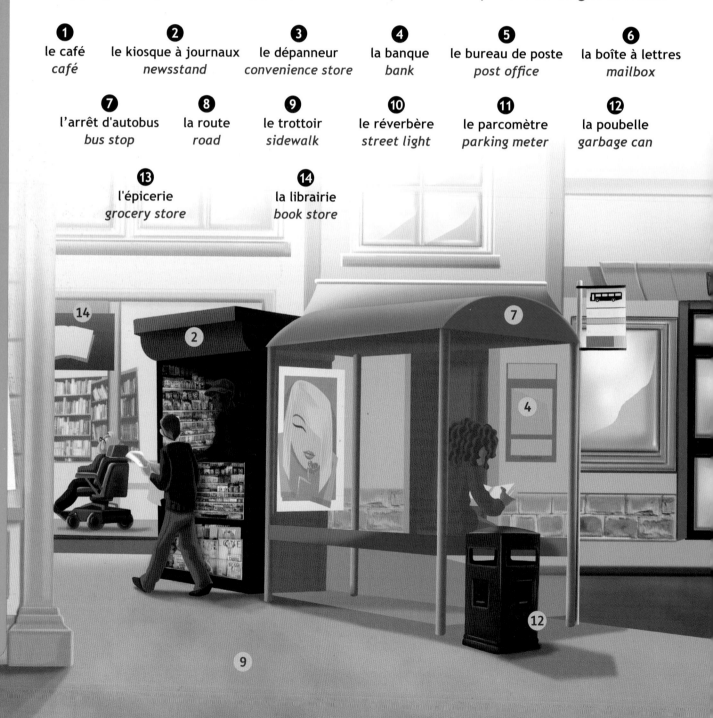

Des magasins de toutes sortes • *Types of stores*

le magasin de jouets
toy store

la boulangerie
bakery

la boucherie
butcher

la pharmacie
drugstore, pharmacy

la boutique de vêtements
clothing store

la confiserie
candy store

le fleuriste
florist

la boutique de cadeaux
gift shop

la quincaillerie
hardware store

l'animalerie
pet store

le magasin de chaussures
shoe store

À la campagne • *In the country*

Partout dans le monde, c'est à la campagne qu'on cultive la terre et qu'on fait de l'élevage. Les fermiers cultivent le sol. Les producteurs laitiers élèvent des vaches ou des chèvres dont le lait sert aussi à faire du fromage, du beurre ou autres produits laitiers.

All over the world, people farm the land and raise animals in the countryside. Some farmers grow crops. Dairy farmers keep cows or goats for their milk. Milk is sometimes turned into cheese, butter or other dairy products.

Les cultures et les légumes • *Crops and vegetables*

la canne à sucre
sugar cane

le soja
soybeans

le maïs
corn

le blé
wheat

les citrouilles
pumpkins

les pommes de terre
potatoes

le riz
rice

le raisin
grapes

Les véhicules et la machinerie agricoles
Farm vehicles and machinery

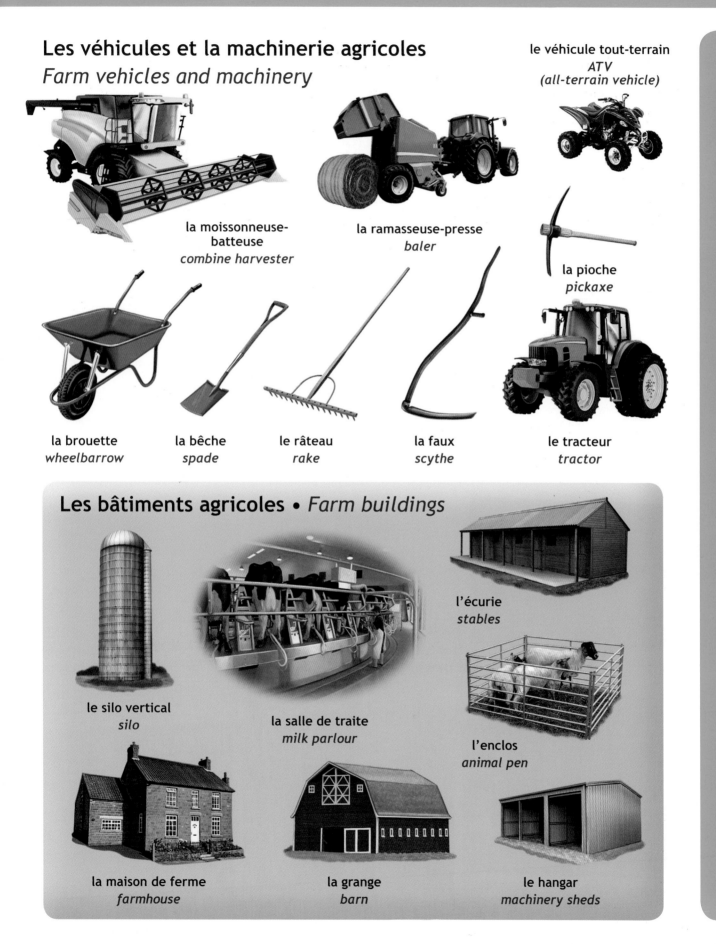

le véhicule tout-terrain
*ATV
(all-terrain vehicle)*

la moissonneuse-batteuse
combine harvester

la ramasseuse-presse
baler

la pioche
pickaxe

la brouette
wheelbarrow

la bêche
spade

le râteau
rake

la faux
scythe

le tracteur
tractor

Les bâtiments agricoles • *Farm buildings*

le silo vertical
silo

la salle de traite
milk parlour

l'écurie
stables

l'enclos
animal pen

la maison de ferme
farmhouse

la grange
barn

le hangar
machinery sheds

In the country

Les paysages et les habitats • *Landscapes and habitats*

La Terre offre une multitude de paysages. Chaque paysage assure l'habitat d'une faune et d'une flore particulières. Les paysages vont de l'épaisse calotte de glace et de neige des pôles Nord et Sud aux forêts équatoriales chaudes et humides.

The Earth has many different types of landscape, and each landscape provides a special habitat for a different set of wildlife. Landscapes can range from thick ice and snow around the North and South poles to steamy rainforests close to the equator.

l'océan
ocean

le bord de la mer
seashore

la montagne
mountain

la forêt tropicale
rainforest

le désert
desert

la prairie
grasslands

le glacier
glacier

la forêt sempervirente
evergreen forest

les bois
woodland

le lac
lake

la région polaire
polar region

le marais
swamp

la tourbière
moor

Les cours d'eau
Stages of a river

Les cours d'eau fournissent un habitat en évolution constante pour la faune sauvage : du ruisseau aux eaux vives au fleuve large et tranquille.

Rivers provide a changing habitat for wildlife, starting with a tiny, fast-flowing stream, and ending in a broad, slow-moving river.

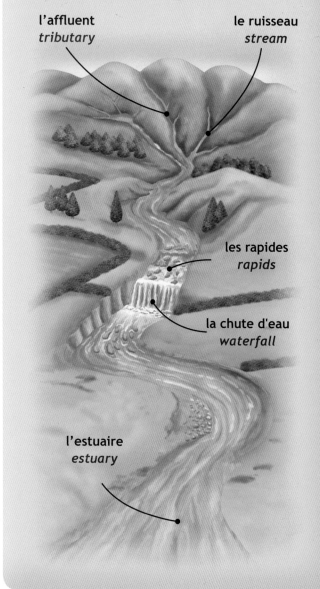

l'affluent
tributary

le ruisseau
stream

les rapides
rapids

la chute d'eau
waterfall

l'estuaire
estuary

Landscapes and habitats

Le temps • *Weather*

Les régions situées près de l'équateur ont un climat tropical. Le temps y est chaud et humide toute l'année. Plus au nord et au sud, le climat est tempéré : il fait froid en hiver, frais au printemps et en automne, et chaud en été.

Places close to the equator have a tropical climate. The weather there is hot and humid all year round. In places farther north and south, the climate is temperate. It is cold in the winter, cool in spring and autumn and warm in summer.

ensoleillé
sunny

nuageux
cloudy

pluvieux
rainy

brumeux
foggy

pollué
smoggy

neigeux
snowy

glacé
icy

la tempête de poussière
dust storm

la tempête de grêle
hailstorm

l'orage
thunderstorm

Pour parler de la température
Temperature words

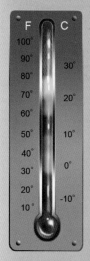

très chaud
hot

chaud
warm

frais
cool

froid
cold

glacial
freezing

un climat tropical
tropical climate

l'équateur
equator

un climat tempéré
temperate climate

la tornade
tornado

La pollution et la protection de l'environnement
Pollution and conservation

La pollution, sous ses diverses formes, met la Terre en danger. Nous courons aussi le risque d'épuiser les sources d'énergie de la planète. Si nous voulons la sauver, nous devons réduire la pollution et économiser l'énergie.

Planet Earth is threatened by many kinds of pollution. We are also in danger of using up the Earth's energy resources. If we want to save our planet, we must reduce pollution and conserve (save) energy.

Les différentes formes de pollution
Types of pollution

la pollution de l'air
air pollution

les déchets dangereux
hazardous waste

la contamination de l'eau
water contamination

l'empoisonnement par les pesticides
pesticide poisoning

la pollution sonore
noise pollution

la radiation
radiation

les pluies acides
acid rain

le déversement de pétrole
oil spill

la pollution lumineuse
light pollution

Les économies d'énergie • *Energy conservation*

Il faut prendre diverses mesures pour économiser l'énergie et maintenir notre planète en bonne santé.

People can do many things to help save energy and keep the planet healthy.

| le compostage *composting* | la réutilisation *re-use* | l'économie d'énergie *energy saving* |

le recyclage
recycling

La planète Terre
Planet Earth

Les humains vivent sur la surface de la Terre, soit l'écorce. Cette dernière est formée de différents reliefs. Et sous l'écorce, se trouvent plusieurs couches de roches, dont certaines sont en fusion (très chaudes et liquides). Les volcans font éruption lorsque la roche en fusion, appelée « lave », jaillit à la surface de la Terre.

Humans live on the surface crust of the Earth, and this crust is moulded into different landscape features. Underneath the crust are several layers of rock, and some of them are molten (very hot and liquid). Volcanoes erupt when molten rock, called lava, bursts through the Earth's crust.

L'intérieur de la Terre
Inside the Earth

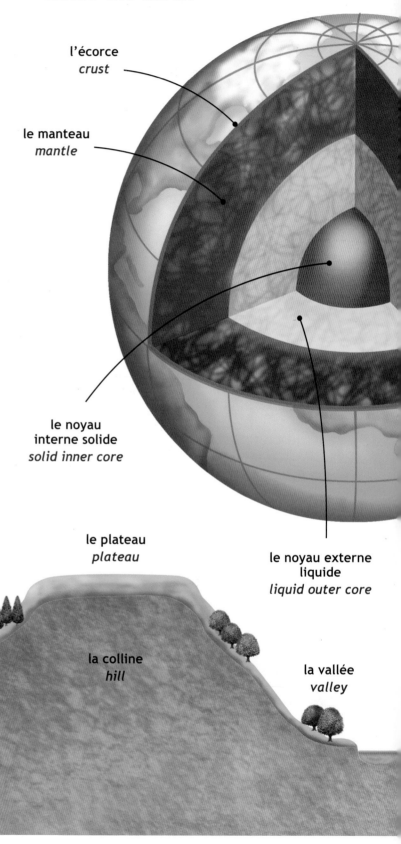

l'écorce
crust

le manteau
mantle

le noyau
interne solide
solid inner core

le noyau externe
liquide
liquid outer core

Les formes de relief
Landscape features

le plateau
plateau

la colline
hill

la vallée
valley

la plaine
flatlands

L'intérieur d'un volcan
Inside a volcano

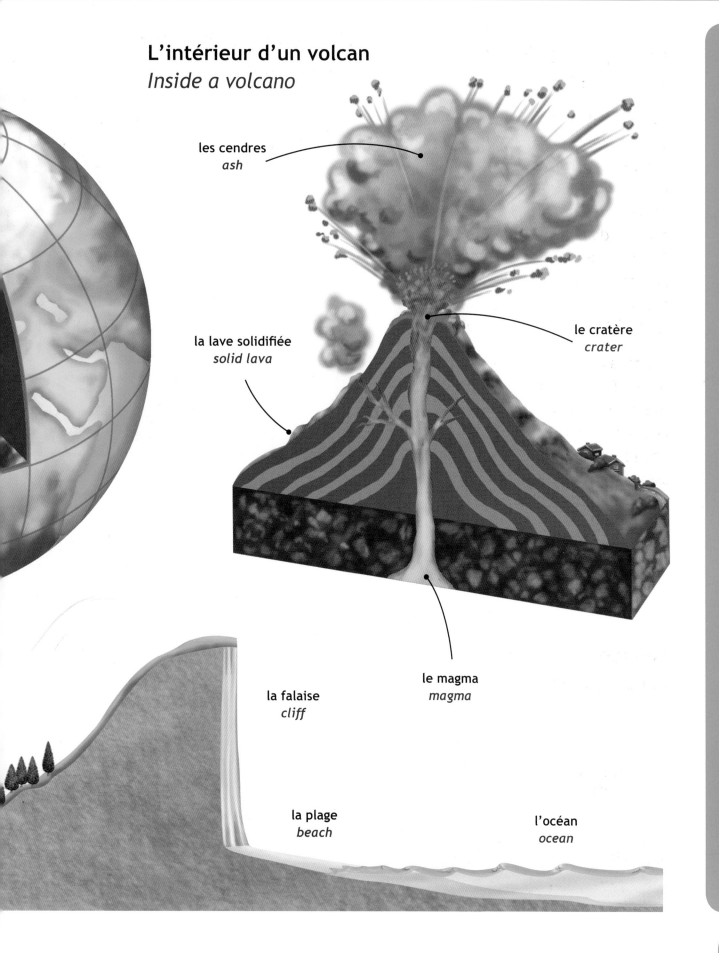

les cendres
ash

le cratère
crater

la lave solidifiée
solid lava

le magma
magma

la falaise
cliff

la plage
beach

l'océan
ocean

Le système solaire
The solar system

Notre système solaire est composé du Soleil autour duquel gravitent des planètes. Dans notre système solaire, il y a huit planètes et beaucoup de lunes. Il y a aussi des astéroïdes et des comètes qui orbitent autour du Soleil.

Our solar system is made up of the sun and the planets that orbit it. In our solar system, there are eight planets and many moons. There are also many asteroids and comets that orbit the sun.

le Soleil
sun

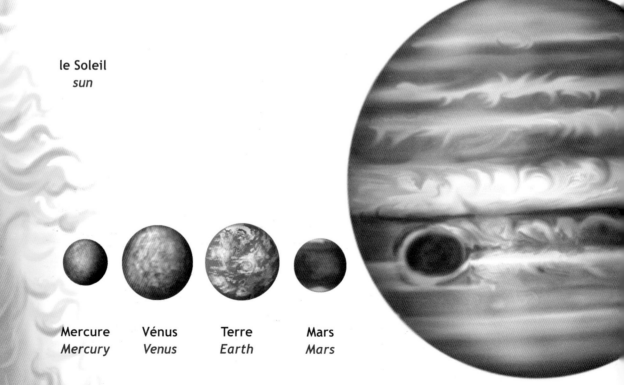

Mercure
Mercury

Vénus
Venus

Terre
Earth

Mars
Mars

Jupiter
Jupiter

Pour parler de l'espace • *Space words*

Les astronomes utilisent des télescopes afin d'observer le ciel la nuit et d'étudier les astres.

People use telescopes to study the sky at night. They are called astronomers.

l'étoile • *star*
la constellation • *constellation*
la Lune • *moon*
la Voie lactée • *Milky Way*
la galaxie • *galaxy*
le météore • *meteor*
le trou noir • *black hole*

Neptune
Neptune

Uranus
Uranus

Saturne
Saturn

Voyager dans l'espace • *Space travel*

Les humains ont commencé à explorer l'espace il y a plus de 50 ans. Des lanceurs spatiaux puissants envoient des fusées et autres engins spatiaux dans l'espace. Des sondes et des stations spatiales explorent l'espace, et des rovers et des modules atterrisseurs explorent d'autres planètes et d'autres lunes. Ce sont des astronautes qui opèrent certains engins spatiaux, mais beaucoup d'autres sont manœuvrés par des robots.

Humans have been exploring space for more than fifty years. Powerful rockets launch spacecraft into space. Probes and space stations investigate space, and rovers and landers explore other planets and moons. Some spacecraft carry astronauts, but many are operated by machines.

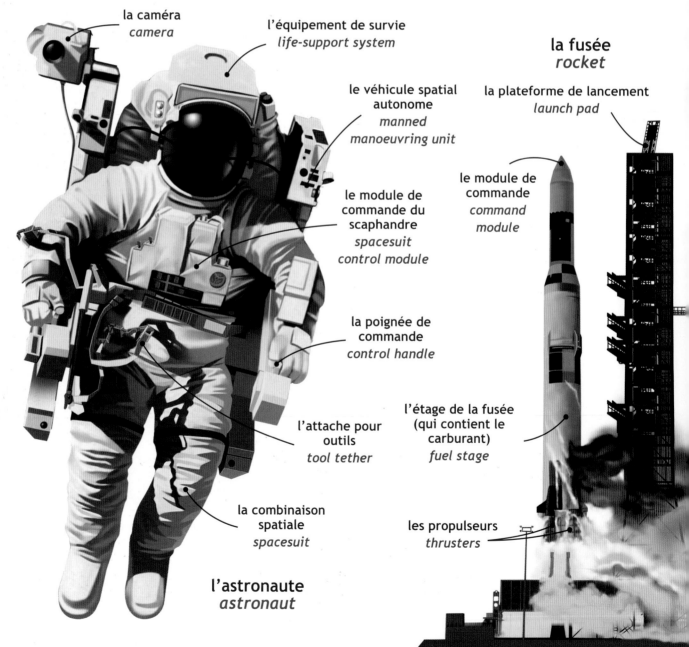

la caméra
camera

l'équipement de survie
life-support system

le véhicule spatial autonome
manned manoeuvring unit

le module de commande du scaphandre
spacesuit control module

la poignée de commande
control handle

l'attache pour outils
tool tether

la combinaison spatiale
spacesuit

l'astronaute
astronaut

la fusée
rocket

la plateforme de lancement
launch pad

le module de commande
command module

l'étage de la fusée (qui contient le carburant)
fuel stage

les propulseurs
thrusters

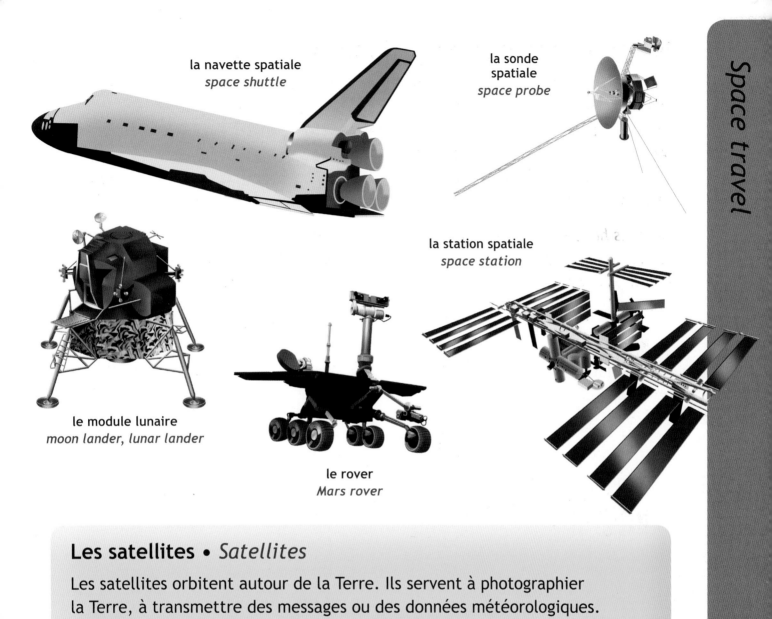

la navette spatiale
space shuttle

la sonde spatiale
space probe

le module lunaire
moon lander, lunar lander

la station spatiale
space station

le rover
Mars rover

Les satellites • *Satellites*

Les satellites orbitent autour de la Terre. Ils servent à photographier la Terre, à transmettre des messages ou des données météorologiques.

Satellites orbit the earth. They are used to take pictures of the Earth, transmit messages or track the weather.

le satellite d'observation de la Terre
Earth observation satellite

le satellite météorologique
weather satellite

le satellite de télécommunications
communications satellite

Les nombres, les ordinaux et les unités de mesure

Les nombres • *Numbers*

0	zéro • *zero*
1	un • *one*
2	deux • *two*
3	trois • *three*
4	quatre • *four*
5	cinq • *five*
6	six • *six*
7	sept • *seven*
8	huit • *eight*
9	neuf • *nine*
10	dix • *ten*
11	onze • *eleven*
12	douze • *twelve*
13	treize • *thirteen*
14	quatorze • *fourteen*
15	quinze • *fifteen*
16	seize • *sixteen*
17	dix-sept • *seventeen*
18	dix-huit • *eighteen*
19	dix-neuf • *nineteen*
20	vingt • *twenty*
21	vingt et un • *twenty-one*
22	vingt-deux • *twenty-two*

23	vingt-trois • *twenty-three*
24	vingt-quatre • *twenty-four*
25	vingt-cinq • *twenty-five*
30	trente • *thirty*
40	quarante • *forty*
50	cinquante • *fifty*
60	soixante • *sixty*
70	soixante-dix • *seventy*
80	quatre-vingts • *eighty*
90	quatre-vingt-dix • *ninety*
100	cent • *a hundred, one hundred*
101	cent un • *a hundred and one, one hundred and one*

1 000
mille • *a thousand, one thousand*

10 000
dix mille • *ten thousand*

1 000 000
un million • *a million, one million*

1 000 000 000
un milliard • *a billion, one billion*

1er • *1st*	premier • *first*
2e • *2nd*	deuxième • *second*
3e • *3rd*	troisième • *third*
4e • *4th*	quatrième • *fourth*
5e • *5th*	cinquième • *fifth*
6e • *6th*	sixième • *sixth*
7e • *7th*	septième • *seventh*
8e • *8th*	huitième • *eighth*

Counting, numbers and measurements

9e • *9th*	**neuvième** • *ninth*
10e • *10th*	**dixième** • *tenth*
11e • *11th*	**onzième** • *eleventh*
12e • *12th*	**douzième** • *twelfth*
13e • *13th*	**treizième** • *thirteenth*
14e • *14th*	**quatorzième** • *fourteenth*
15e • *15th*	**quinzième** • *fifteenth*
16e • *16th*	**seizième** • *sixteenth*
17e • *17th*	**dix-septième** • *seventeenth*
18e • *18th*	**dix-huitième** • *eighteenth*
19e • *19th*	**dix-neuvième** • *nineteenth*
20e • *20th*	**vingtième** • *twentieth*
21e • *21th*	**vingt et unième** • *twenty-first*
30e • *30th*	**trentième** • *thirtieth*
40e • *40th*	**quarantième** • *fortieth*
50e • *50th*	**cinquantième** • *fiftieth*
60e • *60th*	**soixantième** • *sixtieth*
70e • *70th*	**soixante-dixième** • *seventieth*
80e • *80th*	**quatre-vingtième** • *eightieth*
90e • *90th*	**quatre-vingt-dixième** • *ninetieth*
100e • *100th*	**centième** • *one hundredth*
1 000e • *1 000th*	**millième** • *one thousandth*

Les fractions
Fractions
une moitié • *half*
un tiers • *third*
un quart • *quarter*
un huitième • *eighth*

Les unités de mesure
Measurements
le millimètre • *millimetre*
le centimètre • *centimetre*
le mètre • *metre*
le kilomètre • *kilometre*
le gramme • *gram*
le kilogramme • *kilogram*
la tonne • *tonne*
le millilitre • *millilitre*
le centilitre • *centilitre*
le litre • *litre*
le degré Celsius • *degree Celsius*
la hauteur • *height*
la profondeur • *depth*
la largeur • *width*
la longueur • *length*

Mots de mathématiques
Math words
multiplier • *multiply*
additionner • *add*
soustraire • *subtract*
diviser • *divide*

Le temps et l'heure

Les jours de la semaine
Days of the week

lundi / Monday
mardi / Tuesday
mercredi / Wednesday
jeudi / Thursday
vendredi / Friday
samedi / Saturday
dimanche / Sunday

Les mois de l'année
Months

janvier / January
février / February
mars / March
avril / April
mai / May
juin / June
juillet / July
août / August
septembre / September
octobre / October
novembre / November
décembre / December

Les saisons • *Seasons*

le printemps
spring

l'été
summer

l'automne
autumn, fall

l'hiver
winter

Des périodes de temps • *Time words*

le millénaire *millennium*	le siècle *century*	l'année *year*
le mois *month*	la semaine *week*	le jour *day*
l'heure *hour*	la minute *minute*	la seconde *second*

Les moments de la journée • *Times of day*

l'aube *dawn*	le matin *morning*	midi *noon*	l'après-midi *afternoon*
le soir *evening*	la nuit *night*	minuit *midnight*	

L'heure • *Telling the time*

neuf heures
nine o'clock

neuf heures cinq
five after nine,
nine oh five

neuf heures dix
ten after nine,
nine ten

neuf heures et quart,
neuf heures quinze
quarter after nine,
nine fifteen

neuf heures vingt
twenty after nine,
nine twenty

neuf heures vingt-cinq
twenty-five after nine,
nine twenty-five

neuf heures et demie,
neuf heures trente
half past nine,
nine thirty

dix heures moins vingt-cinq,
neuf heures trente-cinq
twenty-five to ten,
nine thirty-five

dix heures moins vingt,
neuf heures quarante
twenty to ten,
nine forty

dix heures moins le quart,
neuf heures quarante-cinq
quarter to ten,
nine forty-five

dix heures moins dix,
neuf heures cinquante
ten to ten,
nine fifty

dix heures moins cinq,
neuf heures cinquante-cinq
five to ten,
nine fifty-five

Les couleurs • *Colours*

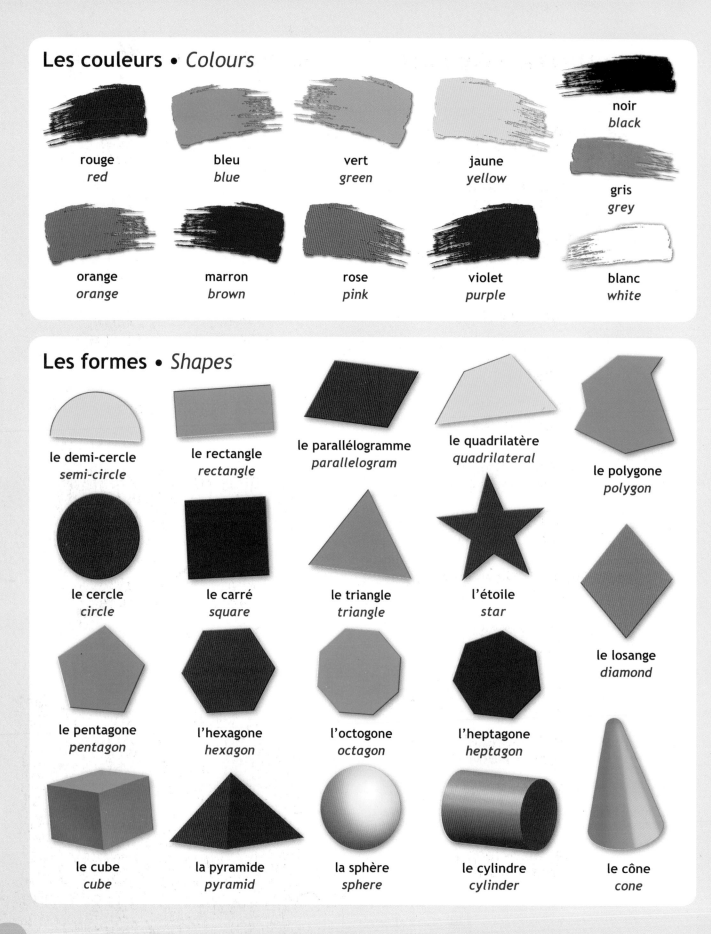

rouge
red

bleu
blue

vert
green

jaune
yellow

noir
black

gris
grey

orange
orange

marron
brown

rose
pink

violet
purple

blanc
white

Les formes • *Shapes*

le demi-cercle
semi-circle

le rectangle
rectangle

le parallélogramme
parallelogram

le quadrilatère
quadrilateral

le polygone
polygon

le cercle
circle

le carré
square

le triangle
triangle

l'étoile
star

le losange
diamond

le pentagone
pentagon

l'hexagone
hexagon

l'octogone
octagon

l'heptagone
heptagon

le cube
cube

la pyramide
pyramid

la sphère
sphere

le cylindre
cylinder

le cône
cone

Les contraires • *Opposites*

gros • petit
big • small

propre • sale
clean • dirty

gros • maigre
fat • thin

plein • vide
full • empty

haut • bas
high • low

chaud • froid
hot • cold

ouvert • fermé
open • closed

lourd • léger
heavy • light

bruyant • silencieux
loud • quiet

dur • mou
hard • soft

long • court
long • short

sec • mouillé
dry • wet

grand • petit
tall • short

rapide • lent
fast • slow

La position • *Position words*

sur
on

de
off

au-dessous
under

au-dessus
over

à côté
next to

entre
between

dessus
above

dessous
below

devant
in front

derrière
behind

loin
far

près
near

Index français • French index

Index français • *French index*

Index français • *French index*

119

Index français • *French index*

Index anglais • *English index*

Index anglais • English index

Index anglais • *English index*

Index anglais • English index